Bebés

La maravillosa historia de
los dos primeros años de vida

Bebés

La maravillosa historia de
los dos primeros años de vida

Desmond Morris

PANAMERICANA
EDITORIAL

Morris, Desmond, 1928-
    Bebés / Desmond Morris. -- Bogotá : Panamericana
Editorial, 2008.
    192 p. : il. ; 26 cm.
    ISBN 978-958-30-3020-8
    1. Niños recién nacidos 2. Niños recién nacidos - Cuidado e
higiene 3. Niños recién nacidos - Aspectos psicológicos 4.
Desarrollo infantil I. Tít.
305.232 cd 21 ed.
A1168903

    CEP-Banco de la República-Biblioteca Luis Ángel Arango

Editor
Panamericana Editorial Ltda.

Dirección editorial
Conrado Zuluaga

Edición en español
Luisa Noguera Arrieta

Traducción
Scyla Editores S.A. (Editorial Planeta)

Título original
Amazing Baby

Primera edición en Panamericana Editorial Ltda., enero de 2009

© 2008 Octopus Publishing Group Limited
© Desmond Morris
© 2009 de la traducción al español: Panamericana Editorial Ltda.
Calle 12 No. 34-20, Tels.: (571) 3603077 – 2770100
Fax: (571) 2373805
panaedit@panamericana.com.co
www.panamericanaeditorial.com
Bogotá D.C., Colombia

ISBN 978-958-30-3020-8

Impreso en China

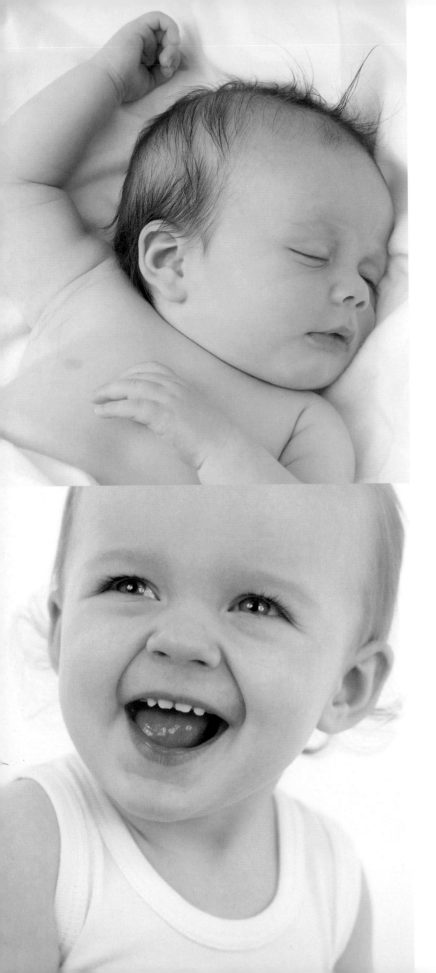

Índice

Prólogo

Los bebés son maravillosos, y este libro lo confirma. Se ha escrito mucho sobre recién nacidos desde la perspectiva de los padres, ofreciendo consejo sobre su cuidado; sin embargo, este libro es distinto. En lugar de dar consejos, intenta esbozar un retrato de los dos primeros años de un ser humano desde la perspectiva del bebé. Con toda esta información, los padres sabrán cómo cuidar a su pequeño, desde el día de su nacimiento, cuando es una criatura vulnerable e incapaz de pronunciar palabra, hasta el día de su segundo cumpleaños, cuando ya camina, habla y desafía al mundo.

Quizá lo más asombroso de un bebé es que durante los nueve meses que transcurren desde la concepción hasta el nacimiento, su peso se multiplica por tres mil millones. Cuando nace, este índice de crecimiento meteórico desciende drásticamente, de modo que entre el momento del nacimiento y su segundo cumpleaños, el bebé solo habrá cuadruplicado su tamaño. Este crecimiento puede impresionar, pero no es nada si se compara con el asombroso desarrollo que ocurre en el útero.

Un viaje de evolución

El desarrollo de las habilidades y características de un bebé es un asunto muy complejo. Su diminuto cuerpo se apoya sobre un millón de años de evolución humana, lo cual ayuda a que ciertos rasgos se desarrollen en una secuencia especial. Todo lo que necesita el bebé es un ambiente agradable que propicie tal desarrollo.

La evolución ha dotado al bebé de ciertos encantos irresistibles que aseguran que sus padres lo cuidarán, alimentarán, mantendrán limpio y le darán cariño. Incluso los adultos más sofisticados se transforman en grandes protectores cuando tienen entre los brazos un bebé vulnerable que los contempla fijamente con una mirada expectante.

El papel de los padres

En el caso de los seres humanos, la carga parental es enorme y se extiende aproximadamente dos décadas con cada niño. Sin embargo, también suele ser una fuente de felicidad. Los bebés son mucho más que solo bebés. En cierto modo son nuestra forma de alcanzar la inmortalidad, pues ellos siguen nuestra línea genética, con lo que se asegura que nuestros genes no morirán cuando nuestras vidas lleguen a su fin.

No hay que subestimar la importancia de los dos primeros años de vida de un bebé. Muchas de las cualidades que adquiera durante su desarrollo sensorial lo marcarán para siempre. Un niño o una niña, rodeados por un ambiente rico, variado y divertido que los anime a explorar, y que reciban un trato amoroso por parte de sus padres, tendrán más posibilidades de desarrollar curiosidad, confianza creatividad e inteligencia activas en el futuro. Un recién nacido posee la capacidad genéticamente innata, que se necesita para este desarrollo. Todo lo que deben hacer sus padres es ofrecerle un entorno en el cual pueda desarrollarse esta capacidad, lo que le permitirá alcanzar su potencial humano. El secreto está en expresarle abiertamente nuestro afecto, pues un bebé necesita mucho amor y una confianza plena en sus protectores para salir adelante.

Cada bebé es único

Aunque este libro analiza los rasgos comunes a todos los bebés durante los dos primeros años de vida, jamás se debe olvidar que cada bebé es único. Cada niño tiene un ADN diferente al de los demás: incluso los gemelos idénticos nacen con huellas dactilares distintas. La combinación de su estructura genética y de su entorno específico determinará la persona adulta en la cual se convertirá.

Variaciones físicas

Los padres deberían tener en cuenta que hay bebés que crecen y adquieren capacidades a un ritmo constante, que hay otros más lentos y que hay algunos increíblemente rápidos. Del mismo modo, unos bebés son más robustos, y otros, más delgados. A veces, las variaciones entre los extremos son enormes: el bebé que más peso alcanzó al momento de su nacimiento, supera en 35 veces al que menos pesó. Así pues, las edades que se fijan en este libro para las tablas del crecimiento son aproximadas.

Aparición de la personalidad

Los bebés también muestran diferencias considerables en sus personalidades, variaciones que son innatas y que no dependen del entorno.

Casi todos los padres que han tenido más de un hijo asegurarán que cada uno de ellos tiene una personalidad completamente diferente. Uno será tranquilo y plácido; otro animado y sociable o meticuloso y trabajador. O bien uno será servicial, el otro difícil y el último más inteligente. Incluso cuando los niños se han criado del mismo modo y crecido en entornos domésticos similares, pueden mostrar diferencias evidentes.

El papel del ADN

Las diferencias en la apariencia y personalidad nos recuerdan que todos poseemos un ADN único y que somos genéticamente diferentes de cada uno de los seis mil millones de seres humanos que habitan el planeta. Son precisamente estas variaciones las que nos diferencian de los robots *humanoides* creados por la ciencia ficción. Estas diferencias hacen que nuestra vida en este pequeño planeta sea tan placentera. Sin embargo, aunque hay miles de detalles diminutos que nos diferencian a los unos de los otros, existen otros miles que nos hacen muy similares. Y precisamente lo que este libro quiere mostrar, son estas similitudes, no las diferencias.

El papel del entorno

Además de las características innatas de cada bebé, existen otras influencias que provienen del entorno, particularmente del hogar en el que comienza a crecer.

Todos los bebés están programados genéticamente para desarrollarse más o menos al mismo tiempo. Sin embargo, un hogar feliz puede agilizar algunos de estos procesos, mientras que un hogar hostil puede retrasarlos. La capacidad mental de un bebé que crece en un mundo estimulante puede ser mucho mayor que si hubiera crecido en un entorno difícil o aburrido.

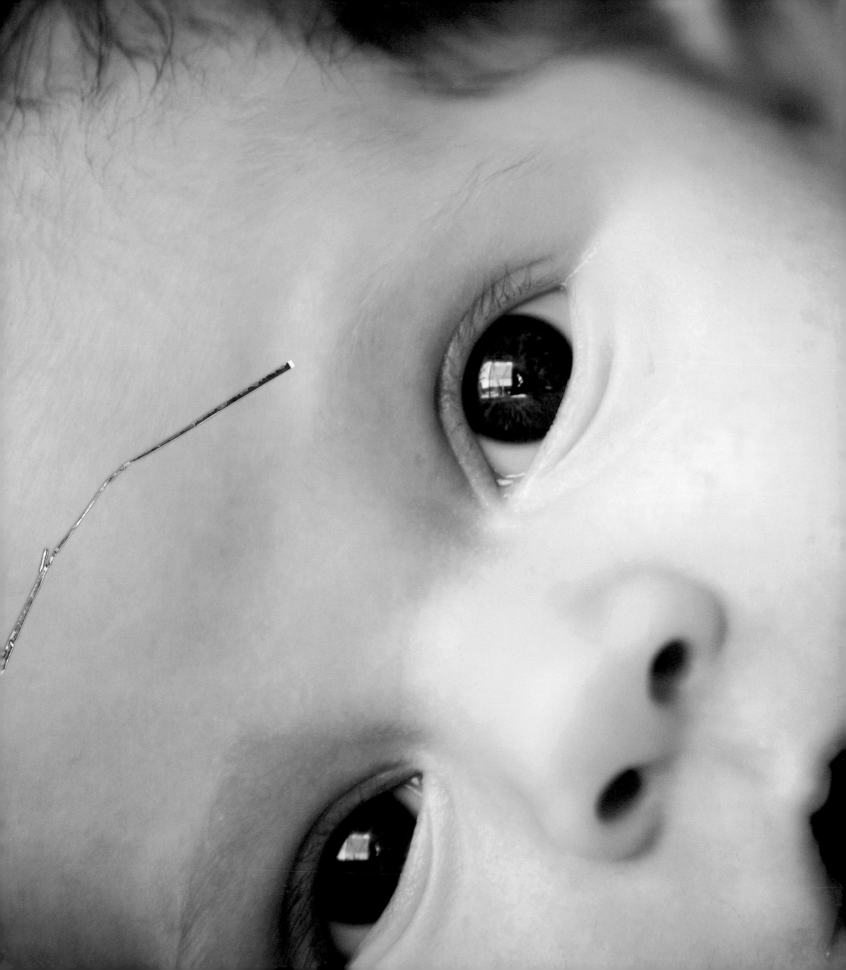

Un nuevo bebé

El nacimiento

El momento del nacimiento provoca una conmoción al bebé. La vida dentro del útero es muy acogedora, pues el ambiente es cálido, oscuro, calmado, suave, líquido y es todo su mundo. De repente, después de un empujón cruel, todo ese entorno reconfortante desaparece. En su lugar aparecen una luz cegadora, ruido, superficies duras, la pérdida del contacto corporal y la extraña sensación de no estar rodeado de líquido sino de aire. Ahora entendemos por qué el bebé emite un llanto de pánico.

Nuevos entornos

Tradicionalmente, el entorno en el que nace un bebé es una sala de hospital, que resulta completamente necesaria para que el procedimiento sea rápido e higiénico. En un tiempo récord, el equipo médico corta el cordón umbilical y examina el bebé para encontrar defectos. Después, lo pesan, lo lavan y envuelven con una manta suave. Para la mayoría de los bebés, que nacen vivos y sanos, este proceso podría hacerse con más calma, lo cual atenuaría la conmoción del nacimiento.

Hacerlo con tranquilidad

Algunos estudios practicados a bebés recién nacidos indican que el trauma es menor si, en el momento de nacer, están rodeados de paz y tranquilidad, en lugar de ruido y agitación, y en una habitación con iluminación suave. La luz brillante es necesaria en el momento del nacimiento, pero, una vez el bebé ya está a salvo, bajar la intensidad de la luz hace que sus ojos se adapten gradualmente.

Permitir al recién nacido estar en contacto directo con el cuerpo de su madre, en lugar de que lo examinen manos ajenas, también reduce su sensación de pánico al perder ese contacto corporal tan agradable. Si se acuesta sobre el estómago de su madre de forma que esta lo pueda abrazar, el bebé sentirá el calor corporal que, durante los nueve meses anteriores, había estado disfrutando. No es casualidad que el cordón umbilical tenga la longitud perfecta, aproximadamente cincuenta centímetros, para poder hacer esto mientras el bebé aún está unido a la placenta.

Los bebés que reciben este trato más relajado muestran menos pánico. No lloran constantemente, sino que se acurrucan con total tranquilidad sobre el cuerpo de su madre mientras se recuperan de su viaje. En lo que respecta al niño, no existe peligro alguno. Su cordón umbilical aún está activo y continúa funcionando durante varios minutos después del parto. En este tiempo, el recién nacido comienza a respirar el aire, de forma que sus diminutos pulmones asumen el mando de la actividad del cordón. Este cambio es gradual, si nada lo impide. Al mismo tiempo, recibe la última gota de sangre a través del cordón umbilical.

Primeros momentos íntimos

Quienes ayudan en el parto tal vez estén impacientes por lavar al bebé, pesarlo y envolverlo en una manta. Sin embargo, si esperan unos minutos, tanto la madre como el pequeño tendrán tiempo para experimentar los primeros lazos afectivos y, si se lo permiten, pasarán un buen tiempo contemplándose fijamente. En un mundo perfecto, nadie debería arrebatarles estos momentos tan íntimos.

Por último, llega el momento de cortarle el cordón umbilical al bebé y limpiarlo, pesarlo y envolverlo. Si ya ha experimentado estos momentos de tranquilidad entre los brazos de su madre, esta interrupción no será tan estresante para él. Una vez limpio, el bebé debe volver con su madre. Enseguida sucumbe a un sueño profundo de recuperación. Durante los primeros días de vida, el bebé debe separarse de su madre lo menos posible.

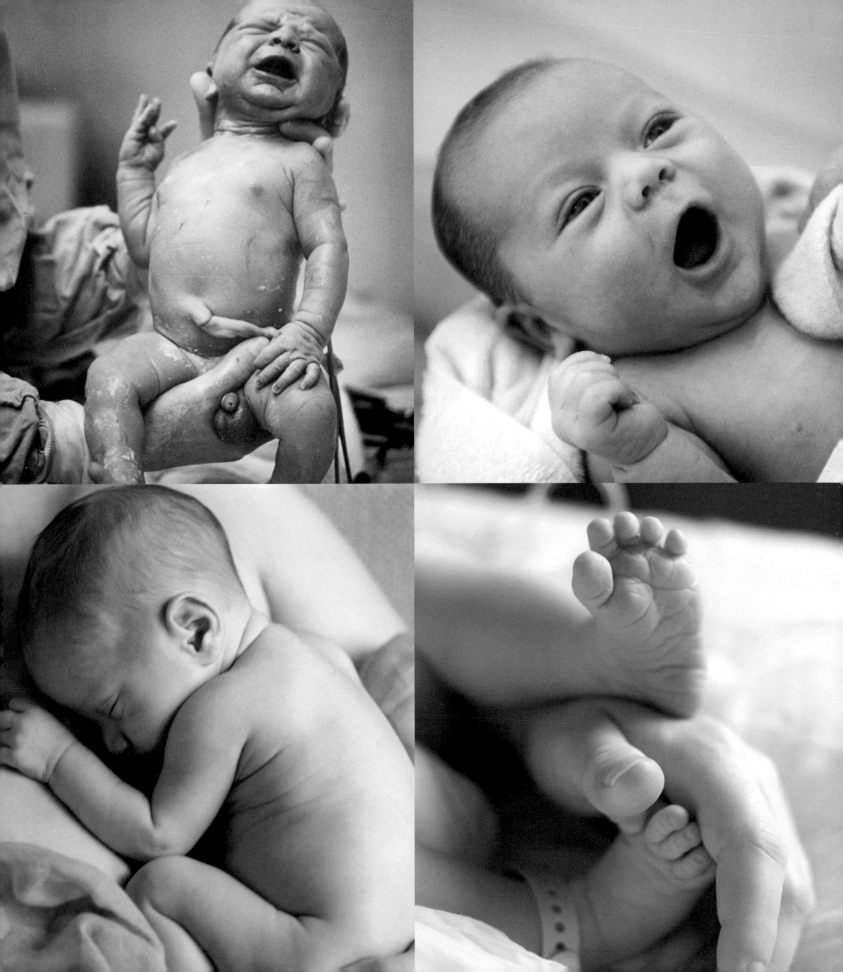

El cuerpo del bebé

Durante los primeros días de vida fuera del útero, el cuerpo del bebé puede parecer imperfecto, pero estos pequeños defectos desaparecen pronto. Después de todo, la criatura ha estado enroscada en el interior del útero durante meses y acaba de superar, con cierta dificultad, el trauma físico que supone salir por un conducto muy estrecho. Por ello, no resulta sorprendente que muestre algunas secuelas de esas experiencias durante sus primeros días de libertad.

Imperfecciones iniciales

La piel de un bebé puede mostrar señales de su reciente hazaña. Entre ellas, marcas rojas en la cabeza y cuello, a veces denominadas «besos de ángel», que son diminutos vasos sanguíneos visibles. Todas estas marcas desaparecen cuando el cuerpo se recupera de la experiencia de nacer y el bebé se adapta a la vida fuera del útero.

Durante los primeros días después del parto, los padres pueden observar lo que se conoce como el «efecto arlequín». La mitad del cuerpo está enrojecida, mientras que la otra permanece pálida. Esta reacción inofensiva está causada por variaciones en el diámetro de los vasos sanguíneos y, en general, se soluciona cambiando al bebé de postura o temperatura; la aparición de manchas en la piel se debe a la inmadurez del sistema circulatorio.

La presión ejercida sobre el bebé durante el parto provoca la hinchazón de los párpados, que se recuperarán en cuestión de días. A veces, puede parecer que el bebé sea bizco durante las primeras semanas, pero este efecto desaparece en los primeros meses.

En el caso de una cesárea, el bebé no ha sufrido dicha presión, y su cuerpo no mostrará mancha alguna ni su cráneo deformaciones. Sin embargo, y a pesar de no entrañar riesgos para la madre ni para el bebé, la cesárea es una operación importante y solo debería realizarse por motivos médicos. Algunas investigaciones han demostrado que los bebés nacidos por cesárea son más propensos a sufrir problemas respiratorios, ya que se cree que evitaron ciertos cambios psicológicos y hormonales necesarios, que se producen durante el parto.

El ombligo

Justo después del parto, el cordón umbilical se corta. La parte que se queda pegada al ombligo del bebé comienza a secarse de forma natural. El proceso se acelera si el muñón queda expuesto al aire libre. Una vez seco, se extrae la grapa, y el resto del cordón cae por sí solo, generalmente diez días después, con lo que queda un ombligo limpio. Es posible que tarde un poco más en desprenderse, incluso hasta tres semanas, pero es fundamental dejar que la naturaleza siga su curso. Cuando ello ocurra, es posible que sangre un poco, pero cicatriza enseguida. El ombligo puede ser convexo (hacia afuera) o cóncavo (hacia adentro). Ambos son absolutamente normales.

Pechos y genitales

Cuatro o cinco de cada cien bebés liberan leche de sus pezones. Esto se debe a los altos niveles de hormonas

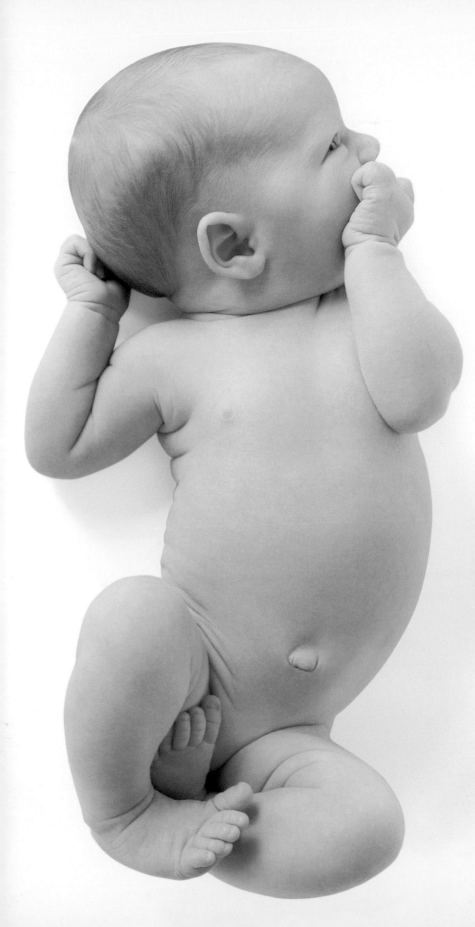

maternales que se filtran por la placenta durante el embarazo y permanecen en el sistema del bebé los días posteriores al parto. Esta liberación de leche jamás ocurre en bebés prematuros, solo en aquellos que alcanzan el período completo. Cuando esto sucede, aparece una pequeña hinchazón, o nódulo mamario, debajo del pezón. Es aconsejable no tocarlo. Puede aparecer tanto en los niños como en las niñas y desaparece en pocas semanas.

Una vez más, gracias a la presencia de las hormonas maternales en el sistema del recién nacido durante las primeras semanas de vida, es totalmente natural, que el tamaño de los genitales sea desproporcionado, tanto en niños como en niñas, pero sobre todo en el escroto masculino.

Forma del cuerpo

Al nacer, las extremidades de un bebé son notoriamente cortas. Su longitud en relación con el resto del cuerpo continúa creciendo hasta la edad adulta. Los hombros y las caderas de un recién nacido son bastante estrechos. La cabeza es proporcionalmente enorme, ya que supone una cuarta parte del cuerpo si se compara con la octava parte del cuerpo en la edad adulta. Durante la primera semana, en lugar de aumentar, el peso puede disminuir alrededor de un 5%. Pero esto es normal y se debe a una reducción de la ingestión de líquidos: la leche materna tarda en llegar, y el bebé se alimenta del calostro concentrado durante los primeros días. Recuperará su peso habitual muy pronto y, a partir de entonces, comenzará a aumentar.

La cabeza del bebé

En el momento del parto, la cabeza del bebé le crea un problema a la madre. Cuando la mujer prehistórica se puso de pie por primera vez y empezó a caminar, su pelvis tuvo que adaptarse a esta nueva postura vertical. Esto significa un útero más estrecho y un parto más complejo. Si el cráneo de un feto fuera ancho y rígido, su llegada al mundo sería muy dolorosa para la madre. Así pues, era necesario algo que facilitara el camino a los dos.

Un cráneo modificado

En el momento del parto, el cráneo del bebé es sorprendentemente suave y flexible. Aunque más tarde se convierta en un casco biológico rígido que protegerá el cerebro, en esta etapa es más importante que logre adaptarse a la presión vaginal. La debilidad de los huesos ayuda, pero hay algo más. Además de ser flexibles, los huesos del cráneo están divididos en placas separadas. Cada una de ellas es capaz de traslaparse ligeramente con las demás, lo cual permite que el cráneo adopte una forma más estrecha mientras cruza por el estrecho canal del parto. La diminuta mandíbula del bebé también ayuda en este proceso.

Deformaciones naturales

La asombrosa flexibilidad del cráneo del recién nacido provoca que, al nacer, el bebé tenga un aspecto "abollado", incluso aplanado de un lado. Estas deformaciones son parte natural del proceso del nacimiento y no tardan en desaparecer. En pocos días, todos los bebés tienen un cráneo simétrico y las placas vuelven a su sitio de manera gradual. Incluso en los casos más extremos, en los que el parto ha sido muy complejo, esta recolocación se produce a las pocas semanas. Esta deformación del cráneo es más visible en madres primerizas. Con cada parto, el útero es más flexible y, al final, apenas se perciben deformaciones.

Después del parto, el cráneo de un bebé tarda varios meses en endurecerse y convertirse en el casco efectivo y protector que su cerebro necesita. Durante esta fase, el cráneo es particularmente vulnerable a daños físicos, de forma que la madre debe tener cuidado y ofrecer toda la protección de la que sea capaz.

Fontanela

Las placas óseas del cráneo del bebé se mantienen separadas durante algún tiempo después del parto. Los diminutos espacios que hay entre ellas están cubiertos de un tejido membranoso que protege al cerebro de cualquier tipo de daño, excepto un golpe directo. Sin embargo, en seis puntos de la cabeza estos minúsculos espacios se expanden y forman las fontanelas.

Las dos fontanelas principales se encuentran en la parte superior de la cabeza. La anterior se sitúa en la frente, y la posterior en la parte de atrás. Las cuatro restantes, menores, forman pares. El par frontal está situado en las sienes; el par trasero, en la parte posterior, abajo a ambos lados. A veces, es posible ver el pulso de un bebé latiendo en la fontanela principal anterior.

Estas fontanelas desaparecen paulatinamente a medida que las placas se expanden y ocupan estos espacios. Al final, las placas se tocan y forman suturas onduladas. Estas conexiones van cogiendo fuerza hasta que el cráneo está completamente soldado y el «casco» es perfecto. El momento en el que se produce este proceso varía dependiendo del bebé. Como mínimo, a los cuatro meses de vida; como máximo, a los cuatro años. Sin embargo, en la mayoría de casos, tarda entre 18 y 24 meses.

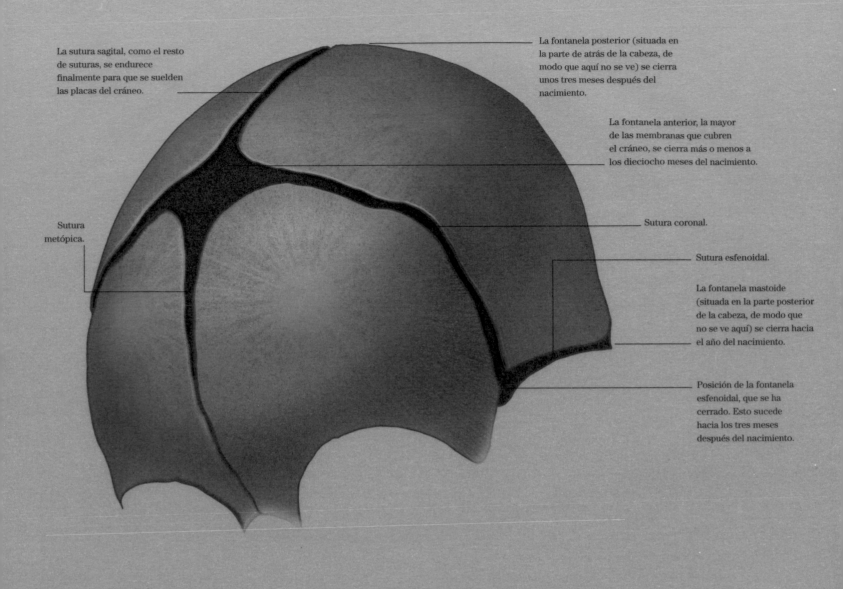

La sutura sagital, como el resto de suturas, se endurece finalmente para que se suelden las placas del cráneo.

La fontanela posterior (situada en la parte de atrás de la cabeza, de modo que aquí no se ve) se cierra unos tres meses después del nacimiento.

La fontanela anterior, la mayor de las membranas que cubren el cráneo, se cierra más o menos a los dieciocho meses del nacimiento.

Sutura metópica.

Sutura coronal.

Sutura esfenoidal.

La fontanela mastoide (situada en la parte posterior de la cabeza, de modo que no se ve aquí) se cierra hacia el año del nacimiento.

Posición de la fontanela esfenoidal, que se ha cerrado. Esto sucede hacia los tres meses después del nacimiento.

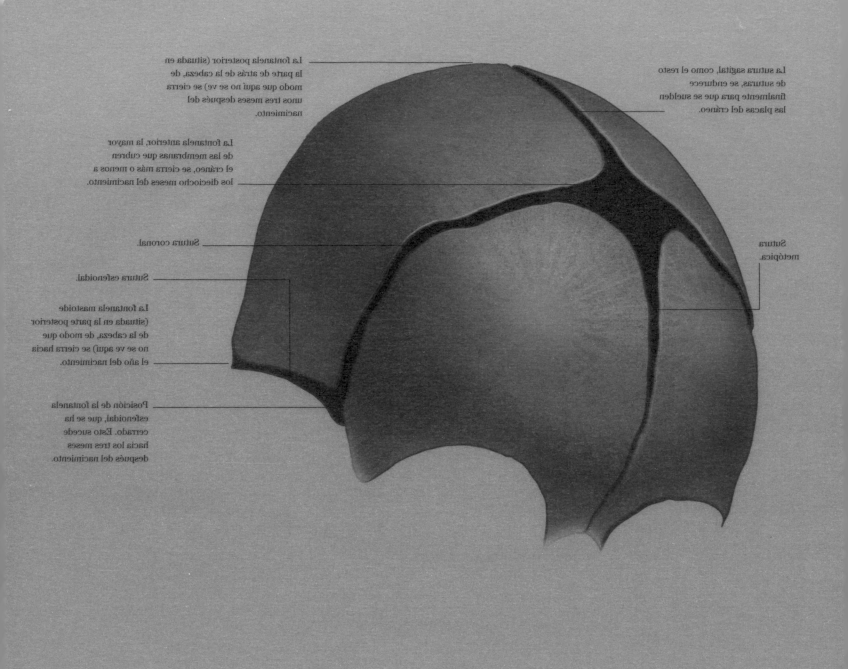

La piel del bebé

Al nacer, la piel corporal de un bebé es increíblemente vulnerable. Al carecer de una capa protectora, el bebé debe enfrentarse a las inclemencias del mundo exterior con una piel desnuda muy sensible. Por suerte, siempre hay alguna manta cálida y acogedora a mano para envolver al recién nacido y, además, proporcionarle una capa protectora especial.

Vérnix

Al nacer, la piel del bebé está recubierta por una sustancia grasosa denominada *vérnix,* un material vital y fundamental durante el parto. Sin este lubricante dermatológico, sería casi imposible que el bebé pudiera deslizarse a través del canal del parto. El nombre técnico para esta «grasa corporal» es *vérnix caseosa,* que significa, literalmente, «barniz de queso». Esta sustancia es de color blanquecino porque está formada por una combinación de escamas dermatológicas que desprende el feto y las secreciones grasosas de las glándulas sebáceas. Estas glándulas son particularmente activas durante los primeros meses del embarazo, de modo que cuando llega el momento del parto el feto está cubierto por esta capa grasosa.

Después del parto, esta grasa se convierte en una capa aislante temporal que ayuda al recién nacido a superar el cambio de temperatura repentino que sufre al salir del cálido útero. También actúa como una barrera que protege la piel desnuda de infecciones menores durante sus primeros días en el mundo exterior.

Algunas madres prefieren dejar esta cubierta hasta que se cae naturalmente días más tarde. Otras, en cambio, prefieren limpiar la piel del bebé lo antes posible, bañándolo con agua tibia para retirar esta capa. Gracias a la higiene moderna, la pérdida prematura de esta capa protectora no afecta de ningún modo al bebé.

Lanugo

Durante los últimos meses de embarazo, justo antes de que se produzca la cubierta protectora, los folículos capilares del feto comienzan a activarse. Esta repentina actividad conlleva la secreción grasosa necesaria para crear la capa lubricante. Pero además también tiene un efecto secundario: el crecimiento rápido del vello corporal del feto, denominado lanugo.

Todos los bebés tienen este vello fino cuando aún están en el útero; de hecho, es una fase natural del ciclo de la vida humana, y casi siempre desaparece antes del parto, quedando únicamente la capa grasosa para facilitar el nacimiento. Sin embargo, este vello desaparece de manera gradual en algunos bebés, y se retrasa hasta después del parto. Esto significa que el bebé está cubierto de lanugo, excepto en las palmas de las manos y las plantas de los pies. En otros, tan solo el rostro, los hombros y la espalda están cubiertos de este vello.

Para algunas madres primerizas, esta capa de vello que cubre los cuerpos de los bebés es causa de ansiedad, pero el lanugo, en general, desaparece en pocos días o, en el peor de los casos, en unas semanas. Este fenómeno es más habitual en los casos de bebés prematuros, ya que han nacido cuando el lanugo se estaba desarrollando. En estos casos, el lanugo hace las veces de capa aislante, ya que el *vérnix* aún no se ha producido.

Temperatura corporal

Los seres humanos evolucionaron en un clima cálido en el que el control de la temperatura corporal no era un problema grave. Sin embargo, al conocer nuevas tierras, nuestros ancestros descubrieron una variedad de temperaturas extremas y tuvieron que idear nuevas formas de evitar los climas bochornosos o gélidos. Los adultos lo consiguieron gracias a su inteligencia, poniéndose más ropa para mantener el calor o buscando la sombra para estar frescos. Un recién nacido no es capaz de adaptarse de esta manera, y por ello confía en la ayuda de sus padres.

Temperatura correcta

Todos los bebés son vulnerables a las variaciones climáticas, y por ello es importante conocer sus necesidades. La más importante es la «temperatura natural», el nivel en el que un bebé puede mantener su temperatura corporal realizando el mínimo esfuerzo. Si el bebé está desnudo, esta temperatura debe alcanzar los 32 °C; sin embargo, si está tapado por una manta, esta disminuye hasta los 24 °C. En unas semanas, el bebé empieza a mejorar el control de la temperatura corporal y, si está bien abrigado, puede soportar temperaturas ligeramente más bajas, como 21 °C.

Un arma secreta

Los bebés tienen un mecanismo especial para controlar la temperatura: la grasa parda. Al nacer, este tejido supone el 5% del cuerpo del bebé y está situado en la espalda, hombros y cuello. Si el bebé comienza a sentir frío, desprenderá calor por procesos químicos especiales. A medida que el niño crece y desarrolla otras formas de evitar el enfriamiento, la grasa parda se transforma, de manera paulatina, en grasa común y corriente.

Recalentamiento

Existen varios factores que contribuyen a que el bebé esté excesivamente caliente. Si esto ocurre, intentará librarse instintivamente de lo que le produce calor. Es posible que empuje una manta con las piernas, pero si la manta está demasiado ajustada al colchón, esto puede suponer más que un problema, pues no podrá desplazarse a un lugar fresco. Si llora con todas sus fuerzas para avisar a sus padres de que algo falla, este llanto no hace más que aumentar su temperatura corporal, pues la liberación de energía calienta su metabolismo. Si un padre cree que el bebé llora porque tiene hambre y le da leche caliente, solo está añadiendo más dificultades. Para un adulto, las bebidas calientes provocan sudores que ayudan a enfriar el cuerpo, pero, durante los dos primeros años de vida, los bebés apenas tienen glándulas sudoríparas. Además, los bebés contienen generosas capas de grasa, que les ayudan a evitar el frío y a prevenir la pérdida de calor, lo cual supone un problema si hay un exceso de temperatura.

Enfriamiento

La sensación de frío es otro obstáculo que encuentra un recién nacido. Uno de los problemas estriba en que no siempre es fácil adivinar el problema: si está dormido profundamente, su metabolismo reacciona lentamente a la bajada de temperatura corporal. Solamente siente el frío cuando empieza a despertarse. De este modo, cuando los padres se dan cuenta, su temperatura corporal ya ha bajado. Un problema adicional es que los bebés no son capaces de tiritar cuando sienten frío.

Bebés prematuros

El riesgo de enfriamiento es mayor en el caso de bebés prematuros, pues aún no han desarrollado las capas de grasa parda, fundamentales para mantener el calor corporal. Por esta razón, un bebé puede enfriarse rápidamente si la habitación no es cálida. Las incubadoras que se utilizan para bebés prematuros mantienen una temperatura de 32 °C, pero los termostatos deben ser precisos, pues unos grados más podrían generar un recalentamiento grave.

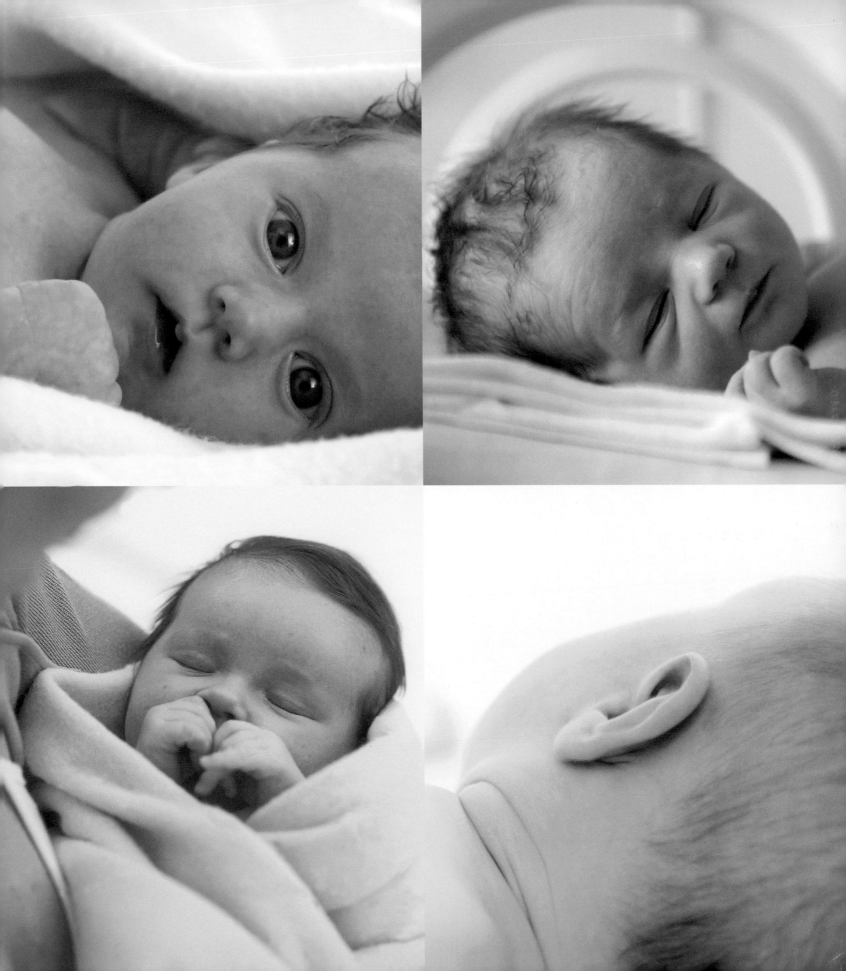

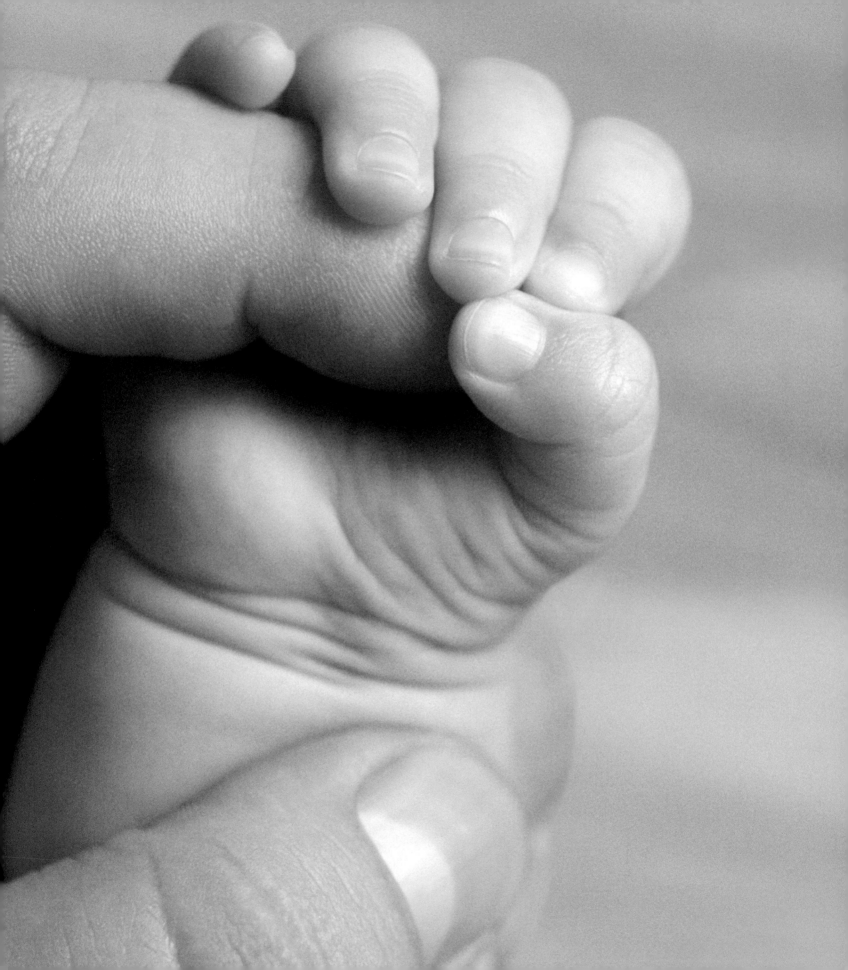

Los reflejos del bebé

El bebé llega al mundo equipado con algunos reflejos automáticos controlados por la parte más antigua del cerebro, la parte que compartimos con otras formas de vida animal. Aunque estas respuestas primitivas están presentes desde el nacimiento, excepto una (el reflejo de sobresalto), pronto comienzan a desvanecerse y son sustituidas por acciones variables controladas por otras partes más avanzadas del cerebro. Estos reflejos son un recuerdo vívido de nuestro pasado.

El reflejo de Moro

Cuando un bebé siente que cae, estira los brazos, abre las manos y extiende los dedos cuanto puede. Después junta los brazos, como si intentara abrazar algo. Si puede, realiza el mismo movimiento con las piernas. Estos son los movimientos que haría un simio si se resbalara del cuerpo de su madre e intentara agarrarse de su pelo.

Cuando la madre ancestral perdió su abrigo de piel, esta acción defensiva perdió su significado y comenzó a desaparecer. Hoy en día, permanece incompleta, y la intención del bebé no es intentar agarrarse del pelo de su madre. Aunque parte de la respuesta se ha perdido, el vestigio del gesto aún tiene valor, pues avisa a la madre del hecho de que su bebé se siente en peligro y físicamente inseguro.

Este reflejo también tiene un valor médico, ya que le permite al pediatra comprobar si los movimientos de las articulaciones son irregulares. Cuando un bebé saludable pierde el equilibro, estira las articulaciones de forma simétrica. Cuando el pediatra provoca esta sensación, puede comprobar si las articulaciones, al estirarse, forman los mismos ángulos.

El reflejo de Moro no dura mucho. Todos los bebés lo muestran al nacer y, en el 97% de los casos, permanece durante las seis primeras semanas. Después, el reflejo comienza a perder intensidad, y a los dos meses ya ha desaparecido por completo. Lo más habitual es que desaparezca dos o tres meses después del parto. En los casos más extremos, puede llegar hasta los seis meses.

Reflejo prensil palmar

Quizá sea esta la más sorprendente de las respuestas automáticas que muestra el recién nacido. También nos traslada al mundo de nuestros antepasados, pues nos recuerda cuando las crías se agarraban con fuerza a los abrigos de piel de sus progenitores. Si el padre o la madre oprimen con un dedo la palma de la mano del recién nacido, sus diminutos dedos responden cerrándose con fuerza. Resulta increíble que si el padre o la madre alzan ligeramente el dedo, el bebé, aparentemente tan vulnerable, se agarre con tal fuerza que incluso le resulte posible alzarlo. La prensión de un bebé es tan fuerte que puede sujetar el peso de su propio cuerpo.

Si el bebé crece a un ritmo rápido, este reflejo puede desaparecer en menos de una semana. Sin embargo, es más típico que perdure varias semanas e incluso, que esté presente en algunos bebés, después de unos meses. Sin embargo, después de seis meses, este reflejo desaparece. Cuando empieza a explorar el mundo con sus manos de forma voluntaria, se pasa a la siguiente etapa (véase «Las manos», pág. 68).

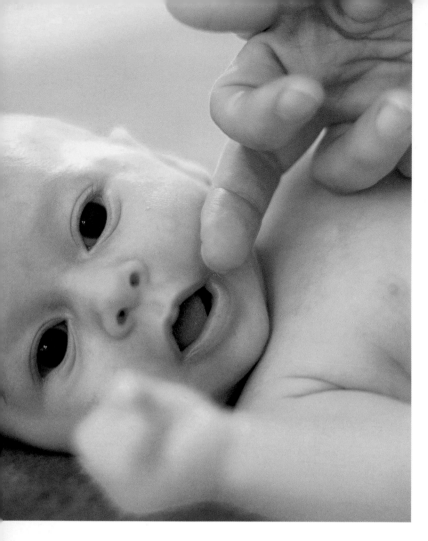

Reflejo de la marcha

Cuando se sujeta a un bebé por debajo de los brazos, este realiza un movimiento de marcha, como si intentara caminar. Este reflejo se desvanece a los tres meses.

Reflejo perioral

La reacción automática fundamental que antecede a la succión de leche es el reflejo perioral, en el que el bebé gira la cabeza hacia cualquier superficie suave que acaricie su mejilla. El pezón, la piel del pecho o incluso una caricia suave provocarán esta reacción. De forma automática, el bebé gira la cabeza hacia la dirección del estímulo y, al mismo tiempo, comienza a succionar. Si la madre roza la mejilla del bebé en vez de intentar que succione la leche directamente, lo estará preparando para la siguiente fase: hacerlo solo.

Reflejo de succión

Todos los bebés muestran este reflejo incluso cuando están en el útero. Después del parto, todo lo que roce la boca del bebé estimula esta acción. Además, le permite agarrar el pezón firmemente para poder alimentarse. Este reflejo involuntario dura entre dos y cuatro meses.

Reflejo del sobresalto

La respuesta del sobresalto sucede cuando se produce un ruido inesperado cerca del bebé. Entonces, este se tensa, alza los hombros y mueve los brazos como si se protegiera de algún ataque. Esta es, básicamente, una reacción protectora y, a diferencia de los otros reflejos, permanece intacta durante toda la vida. Incluso puede intensificarse en la edad adulta.

Reflejo plantar

Si la madre o el padre acarician la planta del pie del bebé, desde el talón hasta los dedos, este reacciona curvando los dedos y girando los pies. Esto se debe a que el sistema nervioso aún no está completamente desarrollado. Entre los seis y los dieciocho meses, el bebé pone de manifiesto la reacción adulta de curvar los dedos.

Reflejo tónico simétrico del cuello

Este reflejo se produce cuando el bebé está tumbado boca arriba. Gira la cabeza hacia un lado, extiende el brazo y la pierna de ese lado y, al mismo tiempo, flexiona el brazo y la pierna del otro lado. Es probable que este reflejo esté presente desde el nacimiento, aunque lo habitual es que aparezca a los dos meses. Dura alrededor de cuatro meses.

Natación

Un recién nacido es vulnerable y se pasa la mayor parte del tiempo en posición fetal, que le resulta muy familiar, debido al tiempo que pasó en el interior del útero. Aprieta los puños y encoge los dedos de los pies. Es posible que, desnudo, mueva los brazos y las piernas; si un dedo se acerca a su boca, generalmente responde succionándolo. Aún no es capaz de mover el cuerpo de un lado a otro, a menos que esté rodeado de agua.

Bebés nadadores

Uno de los descubrimientos más sorprendentes de los últimos años está relacionado con la capacidad nadadora de los recién nacidos. Algunas pruebas han demostrado que cuando se coloca un bebé en agua templada, sujeto a la mano de uno de sus padres, no da señales de pánico, sino que aguanta la respiración automáticamente y flota feliz en el agua con los ojos abiertos. Si, con sumo cuidado, el padre o la madre retiran la mano, el bebé comienza a realizar movimientos natatorios con las extremidades y puede nadar.

De este modo, aunque un bebé no puede trasladarse de un sitio al otro en tierra, una vez que se le permite nadar en el agua adquiere habilidades motrices. Es capaz, desde el parto y sin formación alguna, de realizar acciones integradas que le propulsan hacia delante. En otras palabras, un bebé aprende a nadar antes que a caminar. Incluso antes que a gatear. ¿Cómo se explica esto?

¿Un regreso al útero?

La respuesta más obvia es que el bebé se siente cómodo en el agua porque le recuerda el medio líquido en el que pasó nueve meses. Sin embargo, esta explicación no es completa. Cuando el bebé está en el útero, aún no ha comenzado a utilizar los pulmones. En cambio, cuando está en el agua es capaz de controlar su respiración. Cuando se sumerge, automáticamente aguanta la respiración. Además, en el útero no hay espacio suficiente para realizar tales movimientos y, en el agua, éstos son coordinados.

Orígenes acuáticos

Por lo tanto, la natación es una forma de movimiento que experimentamos desde los primero días. Solo puede explicarse como una representación de una fase primitiva de nuestra evolución, cuando nuestros ancestros eran más acuáticos que nosotros. Por desgracia es una acción del pasado que nos recuerda una época que no perduró.

Cuando el bebé alcanza los tres o cuatro meses de vida, esta capacidad se desvanece. A partir de entonces, el bebé siente pavor al agua y tiene que pasar mucho tiempo hasta que vuelva a sentirse seguro. Cuando reaparece, es completamente diferente: esta capacidad se adquiere de manera gradual.

Se debería recalcar que hay que ir con suma precaución a la hora de permitir que un bebé nade, pues este puede ahogarse con solo unos centímetros de profundidad. De este modo, es recomendable que varios adultos lo vigilen mientras nada. Además, el agua deberá estar más caliente que lo habitual en una piscina.

Jamás se debe permitir que un bebé nade en agua con cloro, ya que los recién nacidos siempre abren los ojos bajo el agua, y las sustancias químicas podrían dañarlos.

Todos estos factores hacen que la natación no sea tan habitual, lo cual es una pena, porque es una de las maneras en que los padres pueden darse cuenta de la criatura tan maravillosa que tienen.

Sistemas corporales

Desde el momento en que se corta el cordón umbilical y el bebé respira por primera vez, sus órganos internos comienzan a funcionar de forma efectiva como los elementos clave de un ser independiente. El primer paso estriba en que el sistema sanguíneo se reorganice.

El cuerpo antes de la respiración

El feto recibe los alimentos y oxígeno a través de una vena del cordón umbilical. Esta vena le proporciona sangre al bebé, generalmente a través de su riñón, pero también directamente por un vaso sanguíneo especial, el conducto venoso. En el corazón hay una circulación especial entre la aurícula derecha y la izquierda, que están comunicadas por una abertura. Esto reduce el flujo sanguíneo en los pulmones inactivos. El flujo se vuelve a reducir gracias a la presencia de un conducto arterial que funciona como un *bypass*. De este modo, la circulación sanguínea del bebé realiza pequeños ajustes para adaptarse a la carencia de respiración. Cuando la sangre ya ha circulado por el cuerpo del bebé, los residuos y el dióxido de carbono vuelven a la madre a través de las arterias umbilicales.

Primera respiración

Cuando los padres contemplan a su bebé, no son conscientes de los grandes cambios que están sucediéndose en el interior de su diminuto cuerpo. Cuando se corta el cordón umbilical, obstruyendo así el suministro de oxígeno, el aumento de dióxido de carbono provoca un colapso en los pulmones que, de repente, se desvanece con la primera inspiración. Cuando el bebé comienza a respirar, se producen otros cambios. Esa abertura en el corazón se cierra y los conductos venosos y arteriales se bloquean. Lo mismo ocurre con los vasos sanguíneos del cordón umbilical. A partir de entonces, los órganos del bebé le envían sangre a los pulmones. En cuestión de segundos, el recién nacido ha adquirido una versión en miniatura del sistema sanguíneo adulto. Y todo esto sucede en su interior mientras los padres contemplan lo vulnerable que parece.

El latido del corazón de un bebé

En el momento del parto, el corazón de un bebé late a 180 pulsaciones por minuto. En pocas horas, desciende a 140 pulsaciones. Durante el primer año de vida, esta cifra continúa bajando paulatinamente. Al cabo de un año, el corazón aún late a 115 pulsaciones por minuto, cuando lo normal en un ser adulto son unas 70 u 80. En otras palabras, las pulsaciones de un bebé equivalen a las de un adulto cuando está realizando ejercicios agotadores.

El sistema digestivo

El estómago de un recién nacido es diminuto, pero en cuanto el bebé comienza a respirar, el tamaño del estómago se multiplica por cuatro o cinco. Al mismo tiempo, la posición del estómago cambia de lugar en el abdomen del bebé. Su capacidad al nacer es de 30 ó 35 ml, que se dobla durante la primera semana, cuando se inicia la ingesta de leche. Al mes de edad, el tamaño del estómago se ha triplicado, aunque solo representa una décima parte del de un adulto.

La longitud normal del intestino delgado de un recién nacido es de 200 cm. Esto puede parecer mucho, pero este tamaño se doblará a medida que el bebé crezca. Las paredes de los intestinos son muy delgadas y la musculatura es débil, lo cual está relacionado con el hecho de que el bebé todavía no ha ingerido alimentos sólidos. Aunque el sistema digestivo del bebé no esté completamente desarrollado al principio, tiene las capacidades funcionales necesarias para digerir líquidos.

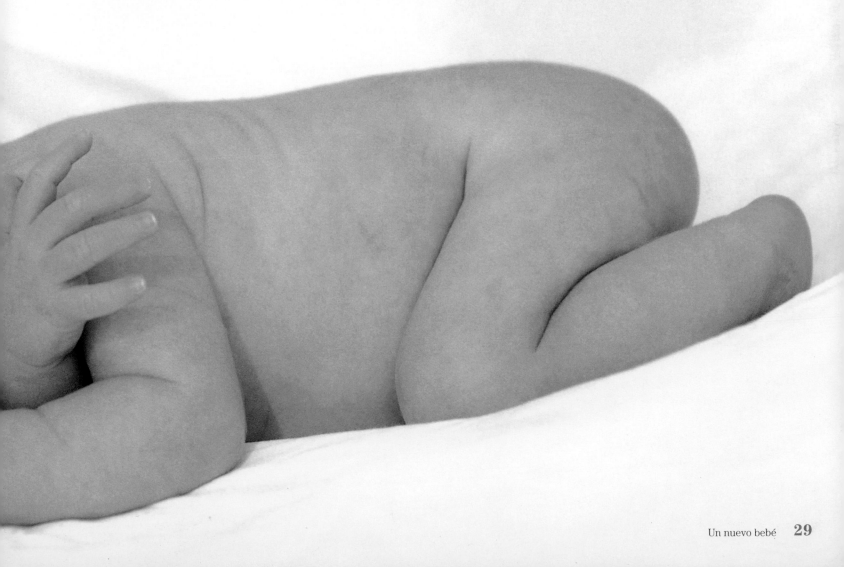

Lazos afectivos

Un bebé recién nacido centra su atención en un adulto en particular, casi siempre la madre. Esta figura protectora o «persona de referencia» cobra más importancia a medida que el bebé crece, y se desarrolla un vínculo muy especial entre ellos. Es posible que los bebés que carecen de este vínculo protector padezcan trastornos emocionales en el futuro.

Primeros vínculos

Durante los meses inmediatamente posteriores al parto, los bebés son muy cariñosos. Les encanta que cualquier adulto los mime. En este sentido, los humanos somos más lentos, ya que los animales tardan menos de un día en crear un vínculo afectivo con su madre. Por lo general, el auténtico proceso comienza a los seis meses (aunque puede variar entre cuatro y ocho meses), y el bebé empieza a ser más selectivo con las personas que lo rodean.

Es posible que desarrolle ansiedad a esa edad, desde los siete a los nueve meses, y si un adulto intenta alzarlo, romperá a llorar. Durante estos meses, la madre comienza a ser más posesiva con su criatura, y si se separan por alguna razón, ambos sentirán angustia. El vínculo ya se ha formado, y permanecerá durante los siguientes años.

Un aroma especial

El vínculo entre una madre y su hijo está basado en aptitudes ancestrales. La oxitocina contribuye (consultar «Glándulas y hormonas», página 42), y el sentido del olfato es muy importante. Se sabe que un bebé puede identificar a su madre por el aroma corporal, o que la madre distingue a su bebé de una forma parecida. Algunas pruebas han demostrado que un bebé responde positivamente al aroma del pecho de su madre e ignora a las demás mujeres. Lo más sorprendente es que una mujer con los ojos tapados tiene la capacidad de identificar a su propio hijo entre una multitud de bebés solo por el olor.

El poder de la voz

Una madre dormida tiene la capacidad de identificar el llanto de su bebé. Este es otro de los factores de los que se ha olvidado nuestro estilo de vida actual. En general, solo hay un bebé en casa, de manera que no se puede poner a prueba esta capacidad. Sin embargo, en el caso de una tribu, que vivía en diminutas chozas, una madre habría sido capaz de distinguir el llanto de cada bebé por la noche. Si se levantaba para alimentarlo cada vez que uno de ellos gritaba, no dormiría en toda la noche. A lo largo de la evolución, la mujer ha aprendido a levantarse solo cuando oye a su propio bebé. Esta sensibilidad sigue presente hoy en día, aunque apenas se utiliza.

De manera similar, un bebé también es sensible a la voz de su madre. Cuando las madres acunan a sus bebés, tienden a apoyar su cabeza en el pecho izquierdo. Esto significa que el oído izquierdo del bebé está más pendiente de la voz de su madre cuando lo arrulla, le habla o le canta una nana. Y es precisamente este oído izquierdo el que proporciona información al hemisferio derecho, la parte del cerebro que es particularmente sensible a la cualidad emocional de los sonidos.

Arraigo

De este modo, el vínculo entre una madre y su bebé no solo se forma a partir del reconocimiento del rostro, sino también por la capacidad de distinguir el olor y el sonido del otro. Esto hace patente lo antiguo y profundo que es este proceso, y la importancia de pasar tiempo juntos durante los primeros meses.

Los sentidos

Aunque un bebé dependa completamente de su madre, sus cinco sentidos ya están preparados para recibir la información que lo rodea de manera que, al final, pueda arreglárselas solo. Su cerebro está ocupado creando vínculos cruciales entre células nerviosas y demás. Cada mes, todo lo que ve, oye, siente, prueba o huele cobra sentido y crea una nueva red de células.

La vista

Los recién nacidos ven más de lo que en principio imaginamos. Incluso en el útero, el bebé distingue entre la luz y la oscuridad. Al nacer, ve a una distancia de 20-25 cm, lo que lo ayuda a reconocer la cara de su madre cuando lo tiene entre sus brazos. Es probable que pueda diferenciar un objeto a 6 m de distancia. Contempla mejor los objetos si están en contraste, es decir en blanco y negro, pero también es capaz de distinguir colores primarios, aunque las células de color aún no se desarrollan del todo hasta los dos meses. Su interés por el rostro humano es evidente. Algunos estudios han demostrado que los bebés sienten más interés por un retrato que por cualquier otro dibujo, y además prefieren los rostros sonrientes.

Los ojos de un bebé son más grandes en relación con su rostro que en el caso de un adulto; sus pupilas también son más grandes, lo cual capta la atención de las personas y hace que estas quieran mimarlo. La influencia más directa del color de los ojos es la herencia, pero los niños de ojos verdes o marrones pueden haber nacido con ojos azules. Esto se debe a que la exposición a la luz estimula el pigmento, que tarda seis meses en definirse.

El oído

Las investigaciones demuestran que el oído interno es el único órgano sensorial que se desarrolla completamente antes del parto, de modo que alcanza su tamaño adulto durante el embarazo. Al nacer, el bebé comienza a escuchar ruidos y llora. Su oído es preciso y puede reconocer la voz de su madre, al igual que la música o los sonidos que percibió desde el útero. Muestra más interés en el habla humana que en otros sonidos y se inclina por las voces estridentes.

El tacto

El bebé es sensible al tacto poco después de la concepción. A las treinta y dos semanas de embarazo, todo su cuerpo responde a la estimulación táctil. Con unos cincuenta receptores táctiles por centímetro cuadrado (alrededor de cinco millones en total) y con más de cien tipos de receptores diferentes, un bebé responde a la presión, dolor, vibración y cambios de temperatura. A los pocos días de nacer, puede distinguir las cerdas del cepillo.

El gusto

En el útero, un feto ingiere líquido amniótico que contiene rastros de la dieta de la madre. Un bebé tiene alrededor de 10.000 papilas gustativas (muchas más que un adulto), y estas no solo aparecen en la lengua, sino también en los costados de la boca y en el paladar. Por último, estas papilas gustativas desaparecen. Un bebé es capaz de distinguir sabores desde una edad muy temprana, aunque siempre se inclina por el dulce (consultar «Destete», página 57).

El olfato

Es difícil conocer la sensibilidad de un recién nacido a los olores. Estudios sobre bebés de dos días demuestran que reaccionan a ciertos olores, como al ajo y al vinagre. Otros estudios, basados en bebés de cinco días, demuestran cómo buscan una almohadilla empapada de leche materna y, a los diez días, prefieren el aroma de la leche de su madre. Así se protege del hambre; aun en la oscuridad, es capaz de buscar su fuente de alimentos. La velocidad con la que un recién nacido aprende a distinguir los aromas de su madre es sorprendente. Algunos estudios demuestran que lo logra cuarenta y cinco horas después del parto (ver «Lazos afectivos», página 31).

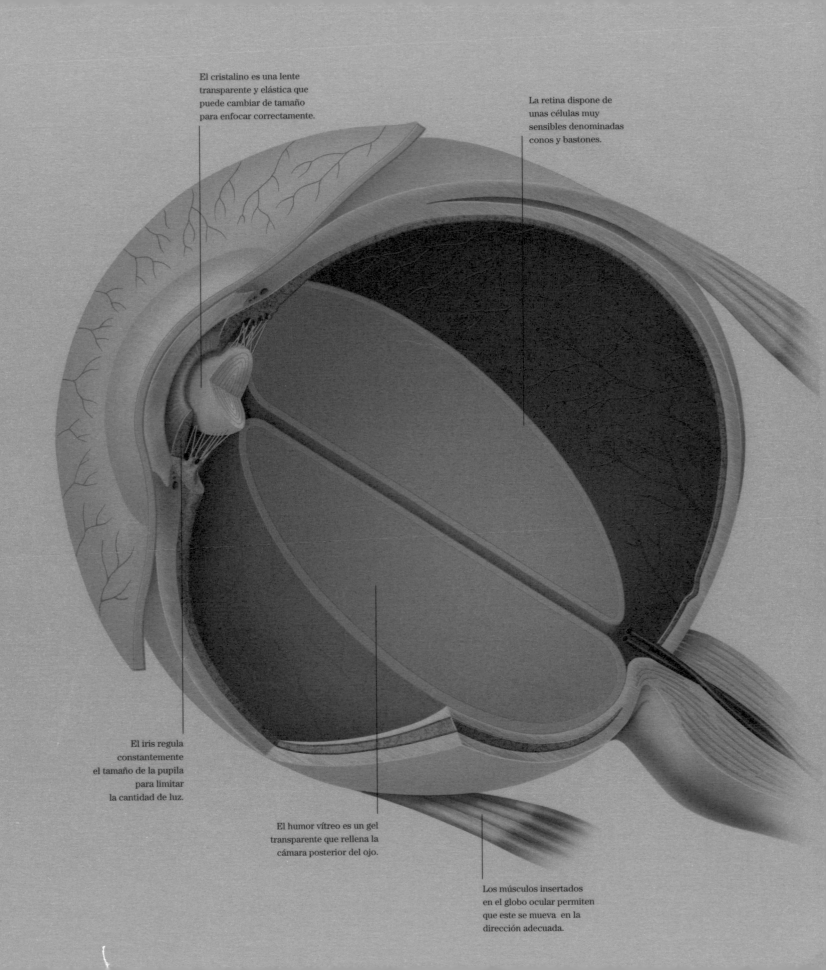

El cristalino es una lente
transparente y elástica que
puede cambiar de tamaño
para enfocar correctamente.

La retina dispone de
unas células muy
sensibles denominadas
conos y bastones.

El iris regula
constantemente
el tamaño de la pupila
para limitar
la cantidad de luz.

El humor vítreo es un gel
transparente que rellena la
cámara posterior del ojo.

Los músculos insertados
en el globo ocular permiten
que este se mueva en la
dirección adecuada.

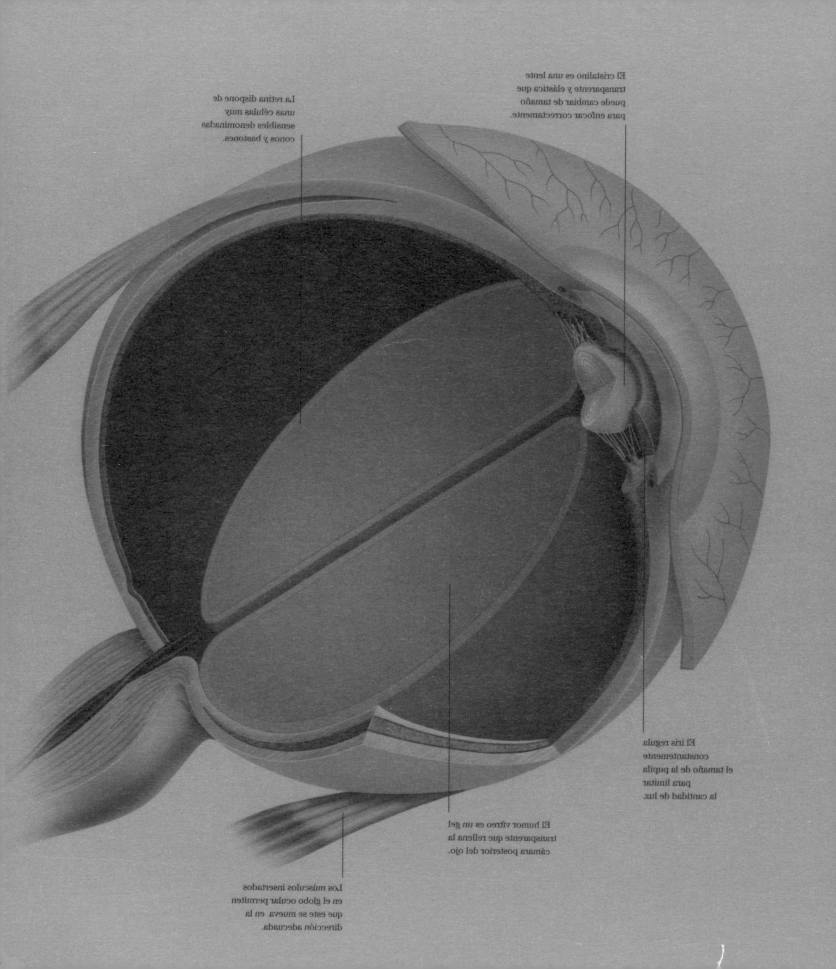

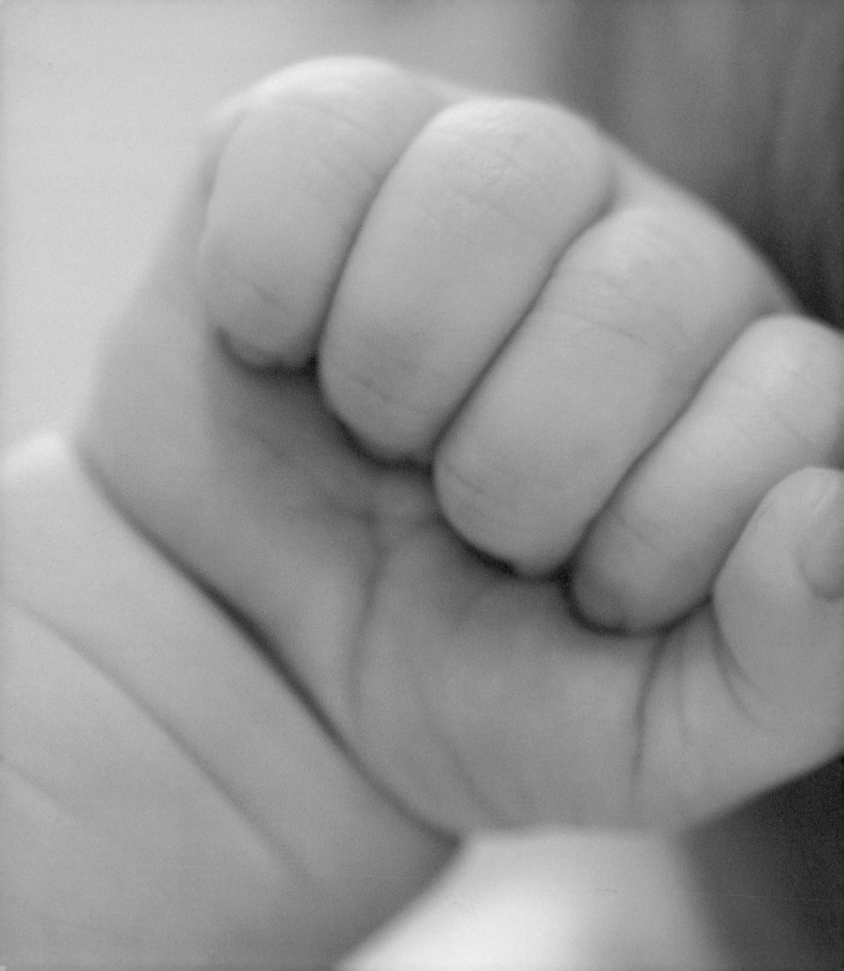

Cómo crece el bebé

La gestación

La mayoría de mamíferos suelen dar a luz una camada. Pero la madre humana, en general, solo gesta un bebé. Sin embargo, si su vida reproductiva no se ve entorpecida, podrá gestar a un segundo hijo, mientras el primero aún es joven y vulnerable. De este modo, tendrá «una camada» de criaturas de edades diferentes que exijan toda su atención. Aunque los partos múltiples no son habituales, la madre suele cuidar a varios hijos a la vez.

El período de gestación

Es sabido que, en el caso de los seres humanos, el período entre la concepción y el parto es de nueve meses. La duración de la gestación varía considerablemente de una mujer a otra, y un bebé sano y saludable puede nacer entre los 240 y los 293 días (34 y 42 semanas) posteriores a la fecundación del ovario. Si nace antes de los 240 días de embarazo, el bebé se considerará «prematuro»; y si lo hace después de los 293 días, se denominará «pasado de término». Lo más habitual es que nazca pasados 266 días desde la concepción, o, para aquellos que intenten adivinar el día del feliz acontecimiento, 280 días (40 semanas) después del último período menstrual.

Variaciones

Una de las rarezas del período de gestación estriba en que los fetos femeninos parecen más reacios a abandonar el útero materno que los fetos masculinos. Por término medio, las niñas están un día más en el útero que los niños. También existen diferencias raciales. En general, los bebés de raza blanca pasan cinco días más en el interior del útero materno que los de raza negra, mientras que los indios están seis días más que los de raza blanca. Hay quien ha apuntado que estas diferencias están relacionadas con el tamaño de los bebés o la holgura de las madres, pero no se ha podido demostrar. Las variaciones son puramente raciales, pero nadie sabe el porqué.

Condiciones óptimas

El mejor momento para que un bebé supere la gestación se produce cuando la madre tiene veintidós años. Esta se conoce como «la edad de la fecundidad», en la que las posibilidades de muerte fetal son mínimas, un 12 por mil. Entre los dieciocho y los treinta años, apenas hay riesgo de partos problemáticos. Las madres mayores sí se exponen a más peligros, pero incluso a los cuarenta y cinco años, el índice de muertes fetales es de un 47 por mil. Algunas mujeres han intentado dar a luz a los cincuenta, aunque esto es muy poco habitual, ya que esa es la edad típica de la menopausia.

Crecimiento en el útero

El crecimiento en el interior del útero es increíble, ya que el bebé cambia continuamente de forma. Todo lo que vemos es el abdomen de la madre, que crece a medida que se acerca el momento del parto. Gracias a la tecnología moderna, ahora podemos observar cada fase de la gestación, desde la fecundación hasta el nacimiento.

El primer mes

Cuando el esperma fecunda el óvulo, se forma un cigoto. Este se divide en varias células y, finalmente, se ahueca. En este momento se denomina blastocisto. Se desplaza por las trompas de Falopio y se enlaza con el útero materno, un proceso llamado implantación. En algunos casos, poco habituales, el blastocisto se divide en dos unidades, creando así dos gemelos idénticos. Esto ocurre entre el quinto y el noveno día. Si ocurre después del noveno día, existe el riesgo de que se formen gemelos siameses.

Parte de las células exteriores del embrión se incrustan en el útero materno y, al final, forman la placenta. Cuando las células empiezan a distinguirse, crean una ranura que, en el futuro, será la columna vertebral del bebé. A las tres semanas de vida, el embrión ha crecido 4 mm y ya comienza a adoptar una forma de C. El corazón comienza a latir, los brazos se definen y se puede distinguir una cola. A las cuatro semanas, el bebé alcanza los 8 mm de longitud y surgen los primeros indicios de lo que serán los órganos vitales. Los ojos comienzan a desarrollarse, y las fosas nasales cobran forma. Las piernas empiezan a moldearse y, en el extremo de los brazos, se modelan unas manos con forma de espátula.

Segundo mes

Durante la quinta semana, el embrión alcanza los 13 mm, sus extremidades están mucho más definidas, e incluso las manos y los pies muestran dedos. El cerebro se está desarrollando y los pulmones empiezan a formarse. Durante la sexta semana, la longitud del bebé aumenta hasta los 18 mm, y todos los órganos han empezado a desarrollarse. Los folículos capilares, los pezones y los codos también toman forma durante esta etapa, y el bebé ya mueve las articulaciones. El crecimiento se multiplica, y

durante la séptima semana el embrión mide 3 cm. Ciertos detalles del rostro y la cabeza se hacen más perceptibles, incluyendo los párpados y las orejas. En la octava semana, el embrión ya ha desarrollado sus órganos vitales y, a partir de entonces, recibe el nombre de feto. Durante los meses siguientes, el crecimiento y el desarrollo de los órganos serán continuos, aunque las estructuras básicas ya están en su lugar.

Tercer mes

El feto mide ahora 8 cm y, por primera vez, es capaz de formar un puño apretando los dedos. Las articulaciones son más largas, el riñón funciona, se distinguen los genitales y la mandíbula empieza a cobrar forma. El feto cierra los párpados, y no los abre hasta el séptimo mes.

Cuarto mes

Durante esta etapa, el feto dobla su tamaño hasta alcanzar los 15 cm. Realiza movimientos activos y succiona con los labios. Tiene vello en la cabeza, los músculos y huesos son más fuertes y el páncreas comienza a funcionar.

Quinto mes

El feto mide ahora 20 cm y todo el cuerpo está recubierto de lanugo (consultar «La piel del bebé», página 18). Durante la semana dieciocho, aparecen las pestañas, cejas y uñas. Por primera vez, la madre siente los movimientos de su bebé en el interior del útero, una sensación denominada «pataleo». Siempre es un instante emocionante, porque confirma que sí hay vida.

Sexto mes

Durante este período el feto alcanza los 28 cm de longitud y pesa unos 725 g. Las manos y los pies ya tienen huellas dactilares, los ojos están completamente desarrollados y los pulmones contienen sacos de aire. Si el bebé siente un estímulo repentino, es capaz de reaccionar mediante el reflejo del sobresalto (consultar «Los reflejos del bebé», página 23). Algunas madres no sienten los primeros movimientos del bebé hasta el final de este período, aunque lo más habitual es que el «pataleo» se produzca entre las dieciocho y las veinticuatro semanas de vida.

Séptimo mes

A las veintiséis semanas de vida, el feto mide 38 cm y pesa alrededor de 1,2 kg. Abre y cierra los ojos y es capaz de percibir ruidos, como por ejemplo el sonido de las funciones corporales de su madre, los latidos del corazón, e incluso la música del exterior. El cerebro, el sistema nervioso y el sistema respiratorio muestran un desarrollo muy rápido. Los bebés prematuros que nacen durante este mes pueden sobrevivir, aunque existen muchos riesgos.

Octavo mes

Durante este período, el feto habrá alcanzado los 45 cm de longitud, aunque puede haber variaciones. Pesa alrededor de 2 kg y la estructura ósea está completamente desarrollada, aunque los huesos aún no son muy resistentes y aumenta la cantidad de grasa corporal. Los bebés que nacen en el octavo mes todavía son prematuros, pero las posibilidades de sobrevivir son muy altas.

Noveno mes

A lo largo de este período, el feto, en general, mide 50 cm y pesa unos 3 kg. Su cuerpo empieza a engordar y a desprenderse de la capa de lanugo; las uñas ya están formadas. Durante este mes, el parto no se considera prematuro, pues el período de gestación más corto para que se considere un embarazo completo son 34 semanas (240 días).

Décimo mes

Durante esta etapa, el lanugo ha desaparecido y el feto mide alrededor de 53 cm. Lo habitual es que el parto se produzca ahora, 266 días después de la gestación, o durante la cuadragésima semana después de la última menstruación. El maravilloso viaje desde el ovario fecundado hasta el bebé formado ya ha terminado.

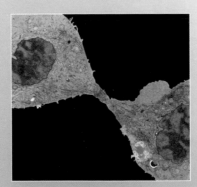

Carrera por la vida
Cada eyaculación contiene 400 millones de espermatozoides. Miles de ellos llegan al óvulo, pero generalmente solo uno lo penetra. Cuando los núcleos del esperma y del óvulo se unen, se forma un cigoto.

División celular
Las células del bebé se multiplican mediante la mitosis, un proceso mediante el cual una célula dobla el número de cromosomas del núcleo y se divide en dos células idénticas.

Gemelos

Aunque, generalmente, el ser humano solo gesta un bebé, en uno de cada diez casos dos espermatozoides diferentes fertilizan dos óvulos a la vez, de manera que la madre da a luz a dos mellizos. En casos menos habituales, tres o cuatro partos por cada mil, el ovario fertilizado se divide en dos y crea gemelos. Los trillizos solo se dan en uno de cada mil partos.

Concebir gemelos

Aunque es poco frecuente, las posibilidades de tener gemelos son las mismas en todo el mundo. Sin embargo, existen ciertos factores que aumentan la probabilidad de que una mujer conciba mellizos, como por ejemplo una edad mayor: a finales de la treintena, las posibilidades aumentan de un 1% a 1 de cada 70. Es más probable concebir mellizos si el cuerpo tiene un tamaño mayor que el habitual, ya sea más alto o más ancho. En épocas en las que la comida escasea, como en las guerras, el índice de mellizos disminuye. La genética también juega un papel importante, ya que es más probable concebir mellizos si la madre tiene un hermano mellizo, o si tiene hermanos que son mellizos, o si ya ha tenido varios hijos antes. Dice la creencia popular que también aumentarán las probabilidades si el acto sexual en el que sucedió la concepción fue apasionado (una experiencia emocional muy intensa), o violento (las víctimas de violación), sin embargo no hay evidencia científica que lo compruebe.

Factores geográficos

Las mujeres africanas tienen más probabilidades de concebir mellizos, de lo que se infiere que la raza es un factor más importante que el clima. Las probabilidades de concebir gemelos son muy elevadas en ciertas partes del oeste de África. En Nigeria, por ejemplo, se sitúa en uno de cada 22 partos. En cambio, en Japón solo se produce un parto de gemelos de cada 200.

Un vínculo especial

Es sabido que los gemelos desarrollan un lazo más íntimo que los hermanos de edad diferente. En el caso de las niñas, estas dependen la una de la otra durante la infancia y muchas crean un vínculo que perdura hasta la edad adulta. En el caso de los niños, éstos tienden a tener una relación más cercana que los mellizos niño y niña.

Hábitos similares

Es muy frecuente que los gemelos desarrollen hábitos idénticos o semejantes. Como los gemelos tienen el mismo ADN, las similitudes serán más evidentes, aunque hayan crecido separados. Al compartir características físicas, es posible que sus voces sean muy parecidas, o que realicen los mismos gestos faciales. En cambio, los mellizos comparten solo el 50% de su ADN, lo mismo que si fueran hermanos de edades diferentes. Otra razón que explica este lazo íntimo y un comportamiento similar, es que han pasado muchas semanas en el útero materno juntos.

Mensajes misteriosos

Al parecer, algunos gemelos desarrollan un lenguaje secreto que solo ellos pueden entender. Este hecho se denomina «criptofasia» y suele ocurrir en fetos que se desarrollan tarde. Se cree que el gemelo más avanzado en términos de habla establece una forma de comunicación que ambos pueden entender. Es posible que la criptofasia se produzca en niños que tengan menos interacción con adultos.

Glándulas y hormonas

Las actividades corporales de un bebé están controladas por dos sistemas principales: el nervioso y el endocrino. Las glándulas endocrinas liberan sustancias químicas en el flujo sanguíneo y circulan por el cuerpo hasta llegar a los receptores celulares, donde intervienen en el metabolismo celular. Estas sustancias, denominadas hormonas, influyen en el crecimiento y desarrollo corporal y controlan el entorno interior del bebé.

Glándula pituitaria

Aunque es vital en el control del crecimiento, esta diminuta glándula solo mide 4 mm de diámetro cuando nace el bebé. Se encuentra sobre un pequeño montículo en la base del cerebro, justo debajo del hipotálamo. El hipotálamo relaciona el sistema nervioso y el endocrino. Una de sus tareas es producir neurohormonas que controlen las actividades de la pituitaria.

La glándula pituitaria se forma en el embrión a finales del segundo mes de gestación y enseguida empieza a funcionar. Tiene dos funciones principales: enviar hormonas de crecimiento a las células corporales y enviar hormonas especiales a la glándula tiroides. La función de la glándula pituitaria, a medida que crece el embrión, es estimular la división celular y la formación de ADN.

Glándula tiroides

Al recibir las órdenes de la pituitaria, esta glándula produce tiroxina, una hormona que también fomenta el crecimiento y el desarrollo, en especial el de los huesos, dientes y cerebro. Además, ayuda a regular el metabolismo en general. En cuanto a la forma, se parece a una mariposa o a un lazo, ya que posee dos lóbulos laterales unidos por un istmo muy estrecho. Se halla en el cuello, justo debajo de la laringe.

Páncreas

El páncreas, ubicado en el abdomen, pesa entre 3 y 5 gramos en el caso de un recién nacido, una trigésima parte del de un adulto. Al final del primer año de edad, este aumenta 10 gramos. La función del páncreas es segregar un líquido alcalino que ayuda a la digestión y, junto con el glucagón y la insulina, a mantener el equilibrio de los niveles de glucosa en la sangre.

La hormona del afecto

El sistema endocrino es extremadamente complejo y contiene muchos tipos de hormonas, cada una con una función diferente sobre el cuerpo del bebé. Sin embargo, hay una que merece una mención especial. Esta hormona se denomina oxitocina, también conocida como «la hormona del afecto» o, de manera más romántica, «la hormona del amor». Se produce en el hipotálamo, que la libera al sistema sanguíneo a través del lóbulo posterior de la glándula pituitaria.

Cuando hablamos de «química» entre dos jóvenes amantes, la oxitocina es la sustancia en cuestión. Cuando las parejas que se describen a sí mismas como «locamente enamoradas» se someten a determinadas pruebas, en general los niveles de oxitocina son elevados. Durante el orgasmo, se produce un aumento repentino de oxitocina, de lo que se infiere que estos momentos de placer sexual también son experiencias afectivas. Hacer el amor, literalmente, hace amor. Un proceso similar ocurre entre una madre y su bebé.

Cuando una madre da a luz, su sistema endocrino libera oxitocina y la prepara, químicamente, para sentir afecto hacia ese diminuto ser que pronto abrazará. La oxitocina puede atravesar la placenta y ayuda a reducir los niveles de estrés del bebé después del sufrimiento que conlleva el parto. El amamantamiento también libera oxitocina, y crea relajación y sensaciones de apego emocional.

Trato cariñoso

Es interesante ver que, cuando se alimenta a un bebé con
el biberón, hay una diferencia hormonal entre aquellos
que lo hacen de forma mecánica y aquellos que, al mismo
tiempo, reciben mimos del padre o la madre. Estos últimos
muestran niveles más altos de oxitocina, lo cual indica que
la liberación de esta hormona puede estimularse mediante
un contacto cariñoso.

De este modo, durante los primeros días de vida, cuanto
más contacto íntimo se produzca, más apego emocional
habrá, ya que se mantienen unos niveles altos de oxitocina.
Además, un bebé que experimente estos niveles durante
sus primeros días de vida también disfrutará de una
reducción de las hormonas de estrés. Esta situación puede
perdurar durante mucho tiempo, lo que ayuda a crear un
ser adulto seguro de sí mismo.

Glándula pituitaria
La glándula pituitaria, ubicada en la
cabeza, libera, al menos, nueve hormonas
diferentes, entre ellas, las hormonas
de crecimiento que estimulan la división
celular y la formación de ADN y
el desarrollo del cerebro, huesos y
músculos del bebé.

La apariencia del bebé

Una de las alegrías más grandes para los padres es ver cómo cambia su bebé, día tras día, mes tras mes, y año tras año. A medida que el cabello y el color de la piel cambian, los brazos y piernas se alargan en relación al cuerpo y adopta una figura más proporcionada. Es entonces cuando se crean parecidos familiares, y cuando el cuerpo del bebé, regordete y vulnerable, se hace más fuerte.

A los tres meses de edad, desaparecen las manchas rojas y la piel comienza a oscurecerse. A los cuatro meses, los ojos muestran su color definitivo, y desaparece cualquier posible estrabismo. A lo largo de las primeras semanas, el vello del bebé se sustituye por un cabello dotado de una textura ligeramente más gruesa. Sin embargo, a algunos bebés no les crece pelo hasta el año de edad, y el color no se determina hasta pasados varios años. A medida que los huesos adquieren fuerza, el cuerpo del bebé, elástico y flexible, se hace rígido y capaz de erguirse: primero, sentándose; después, gateando, y, finalmente, poniéndose de pie (consultar páginas 74-79).

Estas fotografías muestran el crecimiento de un bebé desde el parto hasta el año de edad. Un recién nacido tiene las extremidades dobladas en posición fetal. Tiene mucho espacio para estirar los brazos y piernas, pero el útero le ha dejado una herencia que tardará un poco en desaparecer. A medida que crece, la parte superior se desarrolla más rápidamente y los brazos adquieren fortaleza enseguida. Incluso a los nueve meses, las piernas aún adoptan una postura curvada, a diferencia de las manos, que cada vez se estiran más. Al cabo de un año, las piernas y los brazos ya están al mismo nivel y el bebé puede, como mínimo, sostenerse de pie.

El encanto del rostro del bebé

La palabra alemana *kinderschema* se utiliza para explicar la apariencia especial del rostro de un bebé. Los adultos están genéticamente programados para responder de forma protectora y cariñosa hacia rostros dotados de una serie de características. No es casualidad que estas características aparezcan exageradas en el rostro de un bebé.

El *kinderschema* está formado por los siguientes elementos: una cabeza grande en comparación con el cuerpo, una cara plana, una frente abultada, una nariz diminuta, unos ojos enormes, unas mejillas redondas, una piel suave y agradable, un cabello fino y un mentón apenas distinguible.

Algunas investigaciones sitúan esta instintiva reacción *kinderschema* en la corteza órbito-frontal, una parte del cerebro relacionada con respuestas emocionales. Las pruebas efectuadas demostraron que, cuando un adulto contempla el rostro de un bebé desconocido, esta parte del cerebro reacciona en una séptima de segundo. Esta velocidad indica que la respuesta es instintiva. Tan fuerte es esta respuesta hacia la configuración de los rasgos humanos, que las mascotas que tienen características similares también despiertan sentimientos parentales. Incluso se ha recurrido a la cría selectiva para aplanar los rostros de algunos perros y gatos.

En el caso de los humanos, los rasgos del rostro del bebé perduran hasta la pubertad, período en que aparecen las características angulares típicas de un adulto. Sin embargo, a medida que pasa la infancia, las señales del *kinderschema* se debilitan ligeramente. Durante los dos primeros años, son mucho más evidentes, cuando el bebé es más vulnerable. Además del rostro, hay otros elementos que gritan ¡Cuídame! y despiertan una reacción protectora, como por ejemplo unas extremidades regordetas, contornos redondos, un cuerpo flexible y los movimientos torpes.

El crecimiento del bebé

Al nacer, el peso promedio de un bebe es 3,5 kg. A los doce meses, se ha triplicado y, después de dos años fuera del útero, se ha multiplicado por cuatro. Para entonces mide, aproximadamente, la mitad de su estatura adulta.

Un bebé único

Sin embargo, puede haber variaciones, no solo en el peso corporal, sino en la estatura y el ritmo de crecimiento. Si un bebé es ligeramente más pequeño, o más grande, no hay necesidad de preocuparse. Para dar una idea de las grandes variaciones que existen, el peso promedio de un bebé es entre 3 y 4 kg, pero el bebé que más pesó al nacer alcanzó los 10 kg, y el más liviano al nacer y que ha sobrevivido (prematuro) pesó solo 265 g. Son ejemplos extremos, por supuesto, pero muestran la gran variedad que puede haber en la talla de un bebé al nacer. A pesar de esto, es útil saber cuáles son las cifras más habituales, aunque solo sirvan como guía.

Chicos y chicas

El tamaño y peso del bebé dependen de una serie de circunstancias, al igual que el ritmo de crecimiento. Un factor importante es el sexo del bebé.

En general, los niños tienen un peso y un tamaño mayores que los de las niñas.

Por ejemplo, el peso medio de un niño es de 3,6 kg, mientras que el de una niña es de 3,2 kg. A finales del primer año, un niño, pesa 10,3 kg en promedio, mientras que una niña pesa 9,5 kg. Y, a los dos años de edad, los pesos medios son de 12,7 kg y de 12,1 kg, respectivamente.

Otros factores

El momento en el que nace el bebé también puede influir en el crecimiento. Los bebés prematuros tienden a ser más pequeños y delgados, al igual que los múltiples, gemelos o trillizos, ya que también suelen ser prematuros: el período normal de embarazo de gemelos es de 36 semanas. Otros factores importantes son la genética, pues si los padres son altos, los bebés también lo serán; la nutrición, ya que los bebés que se alimentan con biberón crecen a un ritmo más rápido que a los que se amamanta, y el origen étnico, dado que la estatura varía según la ubicación geográfica.

Dieta después del destete

El crecimiento constante del bebé depende de si recibe o no una dieta equilibrada. Ya que el bebé pertenece a una especie que evolucionó como omnívora, este necesita comidas de origen animal y vegetal. Algunas personas no creen conveniente alimentar a un bebé con comidas derivadas de animales, pero esto solo perjudicará al pequeño. Para cada unidad de peso corporal de un bebé, los niveles de proteínas deben ser cuatro veces mayores que para un adulto. Solo una dieta que incluya proteínas animales puede proporcionarle el equilibro de aminoácidos ideal al sistema digestivo. No obstante, todos ingerimos proteínas animales en forma de larvas o insectos que ingerimos sin darnos cuenta al comer cereales, hortalizas y fruta.

El esqueleto

Todos creemos que los huesos son inertes, pero no es así, y, a medida que el bebé crece, los hueso cambian de manera drástica. Los huesos de un bebé son muy blandos, más esponjosos, más porosos y contienen más agua que los de un adulto. Durante los dos primeros años aumentan de tamaño, se endurecen y se unen. El esqueleto flexible que se acomodaba en el útero se desarrolla para soportar un cuerpo rígido.

El proceso de endurecimiento

En el útero, el esqueleto de un feto no contiene huesos, sino un material más suave y flexible denominado cartílago, que permite un crecimiento fácil. A medida que el feto crece, comienza el proceso de osificación, y ciertas partes del esqueleto cobran más fuerza hasta convertirse en hueso. Después del parto, el calcio que se obtiene a través de la leche materna es fundamental en este proceso.

Al nacer, algunas partes del esqueleto son cartílagos; quizá por ello el recién nacido es vulnerable. El proceso de endurecimiento se completa cuando se alcanza la edad adulta. Solo cuando el cartílago se convierte en hueso el bebé es capaz de controlar sus movimientos, como sentarse, ponerse de pie, gatear, caminar, correr y saltar.

¿Cuántos huesos?

Un esqueleto contiene dos partes fundamentales. La primera es el esqueleto axial, o central, y abarca el cráneo, los huesos del oído medio, el hueso hioides de la garganta, la columna vertebral y los huesos del pecho. La segunda incluye el esqueleto apendicular, que comprende la cintura escapular, los brazos y las manos, la faja pélvica, las piernas y los pies. El esqueleto de un adulto contiene 206 huesos, muchos menos que el de un bebé. El número exacto varía dependiendo del bebé, pero, en general, consta de 270 huesos.

La reducción del número de huesos se produce en el esqueleto central, pues los huesos del cráneo y de la columna vertebral se funden entre sí. Al nacer, esta parte del esqueleto contiene 172 huesos, a diferencia de los 80 de los adultos. Al mismo tiempo, aumenta el número de huesos del esqueleto apendicular, pues se desarrollan más huesos en las muñecas y los tobillos. Un recién nacido solo tiene 98 huesos en esta parte, mientras que un adulto tiene 126. De esta manera, se producen 28 aumentos y 64 reducciones, que resultan en los 206 huesos de un adulto.

Huesos que se unen

A media que un bebé crece, muchos de los 45 huesos que contiene el cráneo del recién nacido se funden hasta que, en edad adulta, solo quedan 22. Ocho de ellos conforman el cráneo, y otros catorce sujetan el rostro. Al nacer, la base de la columna vertebral contiene cinco huesos que se unen para crear una única estructura ósea.

Huesos nuevos

Los huesos más largos del cuerpo, ubicados en las extremidades, experimentan un gran crecimiento cuando el bebé se ha librado de los confines del útero. Estos huesos contienen partes especiales, denominadas placas de crecimiento, donde se dividen las células del cartílago, y de este modo aumentan en número. Las células del cartílago se desplazan gradualmente hacia el centro del hueso, donde este se forma. Cuando el hueso se ha osificado, las placas de crecimiento se endurecen y se convierten en hueso.

Las extremidades experimentan cambios más drásticos durante la infancia. Al nacer no hay huesos carpianos (muñeca) y solo se forman dos huesos tarsianos (tobillo). Un año más tarde, el bebé solo tiene tres huesos carpianos. En cambio, un adulto tiene ocho. Además, un recién nacido carece de rótulas osificadas. Estas se desarrollan a los dos años de edad, aunque es habitual que tarden más.

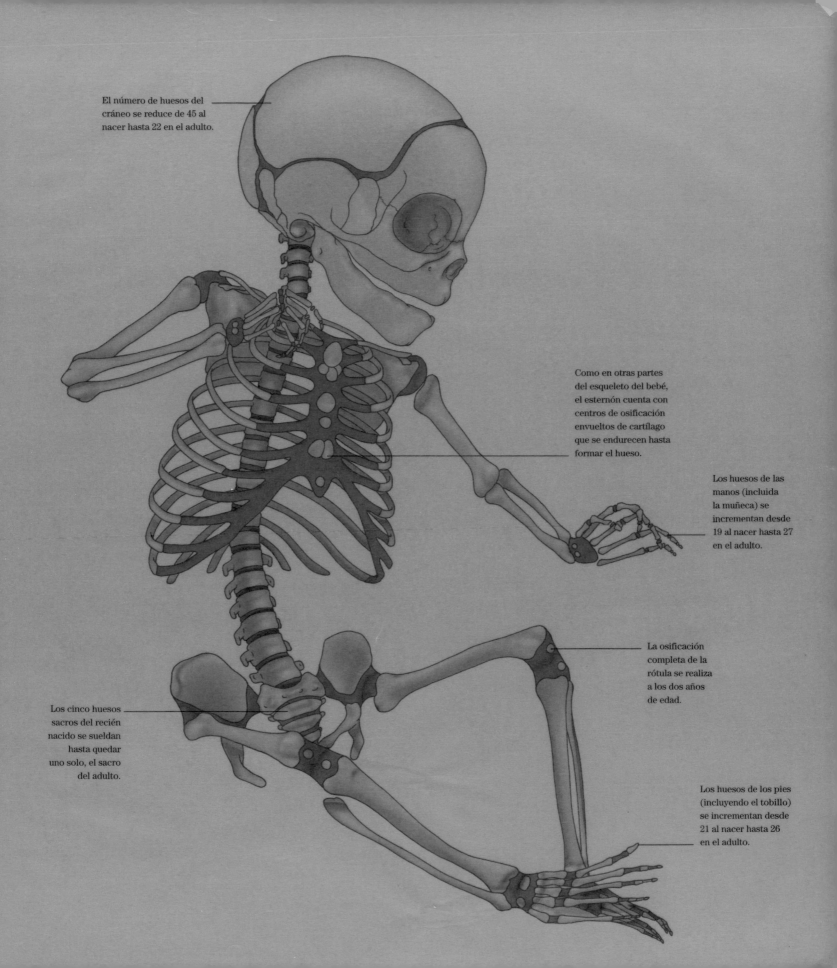

El número de huesos del cráneo se reduce de 45 al nacer hasta 22 en el adulto.

Como en otras partes del esqueleto del bebé, el esternón cuenta con centros de osificación envueltos de cartílago que se endurecen hasta formar el hueso.

Los huesos de las manos (incluida la muñeca) se incrementan desde 19 al nacer hasta 27 en el adulto.

La osificación completa de la rótula se realiza a los dos años de edad.

Los cinco huesos sacros del recién nacido se sueldan hasta quedar uno solo, el sacro del adulto.

Los huesos de los pies (incluyendo el tobillo) se incrementan desde 21 al nacer hasta 26 en el adulto.

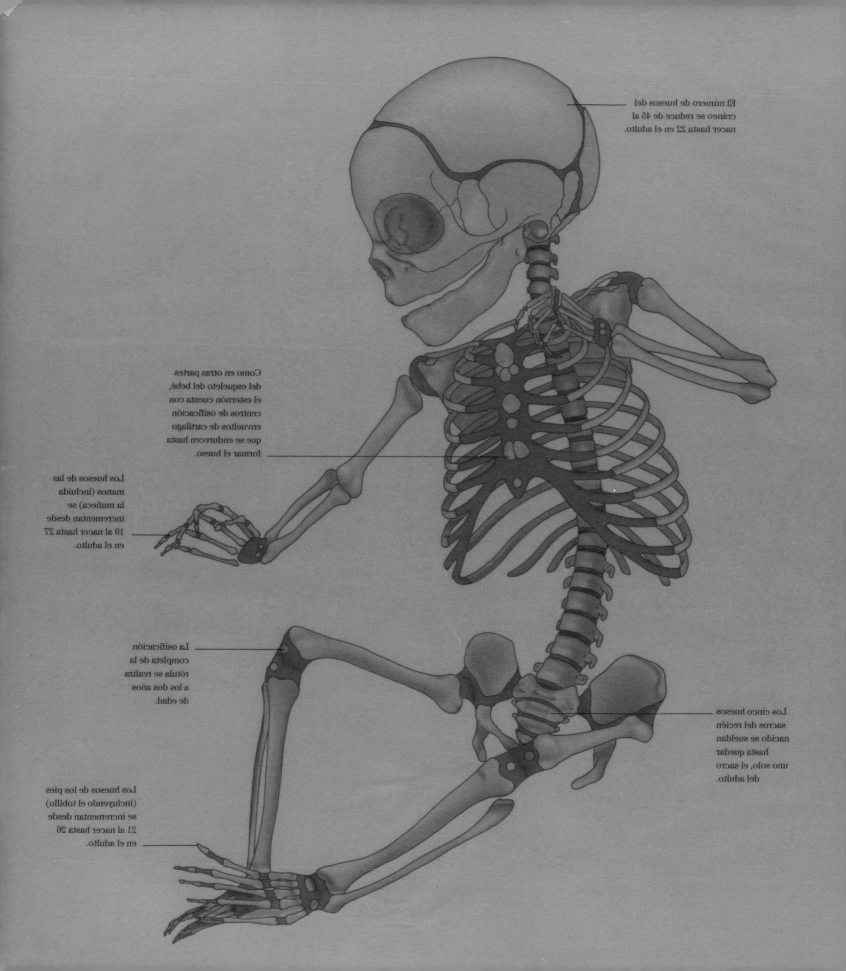

Crecimiento de los huesos

Esta radiografía de un bebé muestra
cartílagos en las articulaciones de
los dedos, donde se producirá la
formación y el crecimiento óseo.
A esta edad solo se han formado
unos pocos huesos carpianos.

El sistema nervioso

Mientras aparecen indicios del crecimiento físico que un padre puede observar y medir, también se producen cambios imperceptibles en el interior del bebé. El más importante es el crecimiento del sistema nervioso. A cada edad, la capacidad del bebé depende de la etapa de desarrollo que ha alcanzado su sistema nervioso, un proceso que no puede agilizarse sin provocar angustia.

El sistema nervioso se desarrolla a su ritmo, y se define a medida que pasan las semanas.

Esperar que un bebé demuestre un control que su sistema nervioso aún no ha adquirido es pedir algo imposible.

Del mismo modo, negarle al bebé la oportunidad de expresar la etapa de desarrollo que ha alcanzado es algo frustrante para él.

Tamaño del cerebro

Al nacer, el cerebro de un bebé se desarrolla perfectamente en relación al resto del cuerpo. De hecho, es mucho mayor comparado con el de un adulto, lo que hace que el bebé parezca un poco cabezón. El cerebro de un recién nacido representa el 10% del peso corporal. En adultos, esta cifra desciende al 2%. Al nacer, el cerebro pesa alrededor de 350 g, con una capacidad craneal de 400 cc, mientras que el de un adulto pesa entre 1,1 y 1,7 kg y tiene una capacidad de entre 1.300 y 1.500 cc. A finales del primer año de vida, el tamaño del cerebro se ha triplicado. En todas las etapas, el cerebro masculino es ligeramente mayor que el femenino.

Función cerebral

¡El cerebro de un bebé tiene mucho que aprender! Aquellas regiones relacionadas con dormir, caminar, comer y excretar, esencialmente el mesencéfalo y el romboencéfalo, ya están activas, pero las relacionadas con el movimiento, el pensamiento complejo y el lenguaje, la corteza cerebral, tardan varios años en desarrollarse por completo. Al nacer, la corteza es la última parte del cerebro que se forma. Los ajustes aparecen paulatinamente, y semana tras semana el bebé muestra progresos sutiles.

Crecimiento de la red neuronal

Uno de los desafíos a los que se enfrenta el cerebro del bebé es la necesidad de enviar mensajes al resto del cuerpo a través del sistema nervioso, un sistema que aún no está preparado para tal tarea, sobre todo en las extremidades. Esto se debe a que la vaina de mielina debe desarrollarse para encerrar los nervios que transmitirán las señales de forma efectiva. La mielina aísla cada una de las fibras nerviosas, de manera que estas pueden transmitir los impulsos nerviosos más fácilmente. El crecimiento de la mayoría de estas vainas protectoras tarda dos años y pasa por distintas etapas. La cabeza y la parte inferior del cuerpo se desarrollan primero, y el tronco lo hace después. Las partes de las extremidades más cercanas al tronco alcanzan el control antes que, por ejemplo, los dedos. El desarrollo de vainas de mielina en el cerebro perdura hasta la adolescencia.

Alimentación del cerebro

A medida que la red neuronal crece y se desarrolla, el bebé abandona su vulnerabilidad hasta conseguir un estado más activo y controlado. Primero muestra un progreso en la coordinación y el equilibrio y, más tarde, en la habilidad de realizar movimientos voluntarios. Después se producen mejoras en el oído, la vista y la comprensión y expresión de ciertas palabras. También aumentan las capacidades de atención, memoria, creatividad y planificación, así como el comportamiento. A lo largo de este proceso, cuanto más se estimule el cerebro del bebé desde su entorno, mejor será el crecimiento. Necesita entradas enriquecedoras para archivar en su «ordenador biológico», de forma que, más tarde, tenga un «archivo de experiencias» al cual acudir. Un entorno lóbrego y monótono será un obstáculo incluso durante las primeras etapas de desarrollo.

Alimentación

Antes de que el bebé comience a ingerir alimentos sólidos, se alimenta de leche materna durante los seis primeros meses. Después, el bebé ya puede comer alimentos sólidos. A partir de entonces, la proporción de alimentos se incrementa gradualmente y se puede combinar con leche materna. Entre el noveno y el duodécimo mes, el bebé pasa a la siguiente fase, en la que ya se alimenta solo (consultar «Destete», página 57).

Mamar

Se dice que el bebé succiona el pezón, aunque lo exprime más que succionarlo. Los labios agarran la piel pigmentada del pezón y la exprimen con el paladar y la lengua. Así, ejerce la presión suficiente para que la leche llene la boca. De este modo, el bebé no chupa el pezón, ya que este actúa como una boquilla dispensadora de leche. Durante el primer año, es posible que los labios del bebé muestren una pequeña ampolla, denominada almohadilla láctea, resultado de tal ejercicio.

Cuando el recién nacido comienza a mamar, normalmente cierra los ojos y se concentra en la satisfacción de probar y tragar la leche. Después, pasados unos meses, esto cambia y empieza a mantener los ojos abiertos mientras ingiere la leche. Durante esta fase entra en juego el contacto visual entre la madre y el bebé, ya que fortalece los lazos afectivos entre ellos.

Pre-leche

El primer líquido que ingiere un bebé del pecho de su madre es una especie de «pre-leche» denominada calostro. Es un líquido amarillento, rico en proteínas y anticuerpos que ayuda a proteger al recién nacido de infecciones. El pecho materno continúa proporcionando este primer alimento durante tres días; después, la leche empieza a fluir. La leche materna contiene el doble de grasas y azúcares que el calostro, y es muy nutritiva; por ello, el bebé empieza a ganar peso enseguida.

Hora de comer

Cuando el bebé ingiere leche materna, se crea un orden secuencial. Al principio, el pecho produce leche de destete y, después, la leche final. La leche de destete es acuosa y solo quita la sed. La leche final es más espesa, más rica y satisface la necesidad nutritiva del bebé. Es como si el pecho le dijera al bebé: «primero, bebe; después, come». Esto destaca una de las desventajas de las sesiones de alimentación cortas, pues, aunque ayuden a saciar la sed del bebé, no le proporcionan una ingestión suficiente de alimentos. Para completar el ciclo nutritivo, un bebé necesita pasar, al menos, entre diez y quince minutos en cada pecho.

Alimentar a demanda

Las madres tribales utilizan esta técnica desde tiempos prehistóricos. La premisa básica es que el bebé se alimenta siempre que tenga hambre. Probablemente se produzcan más sesiones de amamantamiento, pero tiene sus ventajas: una ingestión frecuente previene que los pechos se congestionen y hay menos posibilidades de que el bebé se empache. Además, el bebé se alimentará a un ritmo natural: desarrollará su propia rutina y marcará su propio horario. Así, reducirá de forma automática el número de sesiones.

Ventajas de la leche materna

Las madres que no puedan amamantar pueden optar por el biberón. Sin embargo, la leche materna ha evolucionado durante un millón de años para proporcionarle al bebé todo aquello que necesita. No solo contiene anticuerpos durante los primeros días, sino que, en términos nutricionales, es equilibrada. El contacto corporal y la intimidad que exige el amamantamiento refuerzan los lazos afectivos entre la madre y el bebé. Esto no se pierde por completo con la lactancia artificial, pero es menos intenso.

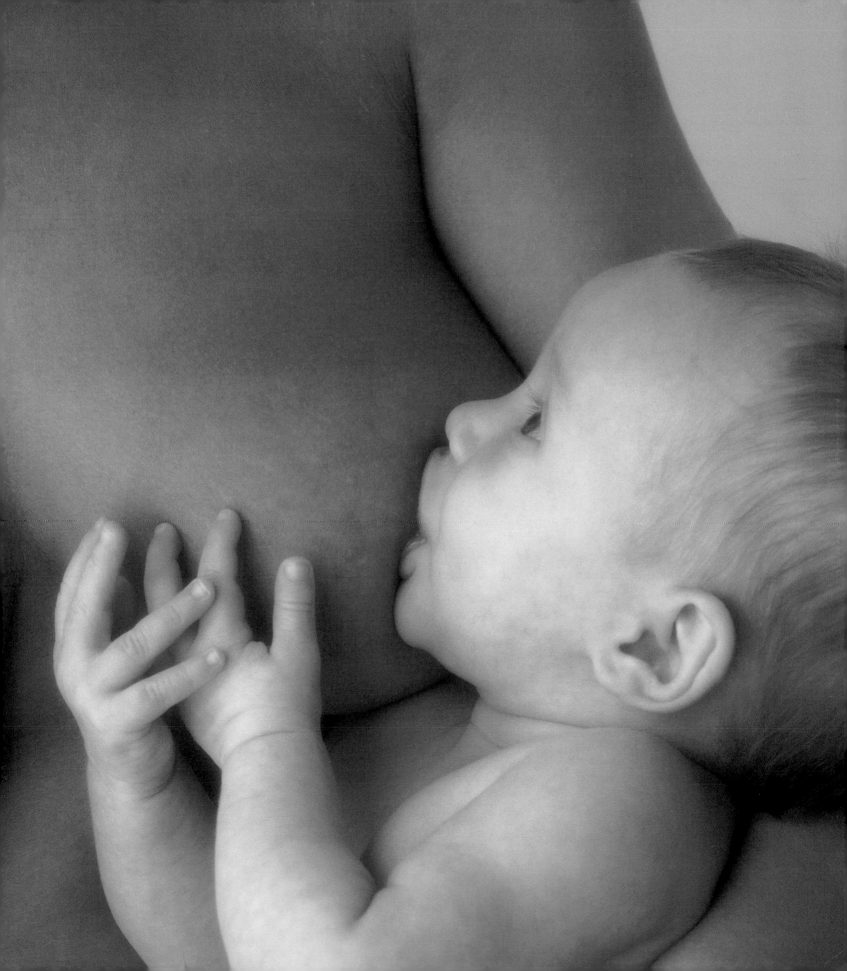

Desarrollo dental

Los dientes del bebé empiezan a desarrollarse cuando todavía está dentro del útero, pero los primeros en aparecer lo hacen a los seis meses de edad. En general, primero surgen los incisivos centrales inferiores, y después los demás incisivos centrales.

Entre los siete y once meses, aparecen los incisivos laterales. Más tarde, entre los diez y los dieciséis meses, los primeros molares, seguidos por los colmillos entre los dieciséis y los veinte meses de edad. Por último, crecen los segundos molares, de forma que a los dos años el bebé ya tiene todos sus dientes. Estos dientes permanecen intactos hasta los seis o siete años de edad, cuando los empiezan a desplazar los dientes adultos que salen justo detrás de éstos. En total, un bebé tiene veinte dientes: ocho incisivos, cuatro colmillos y ocho molares. Un adulto tiene el mismo número de incisivos y colmillos, pero además tiene ocho premolares y doce molares.

La sustancia corporal más resistente

La dentadura es la única parte del cuerpo humano que no se repara por sí misma cuando sufre daños o roturas. Aunque el esmalte dental es la sustancia más resistente del cuerpo, tiende a sufrir los ataques de ácidos y azúcares que contiene la comida que ingerimos. En cierto modo, la producción de saliva reduce los efectos de las sustancias dañinas. La saliva, líquido que producimos constantemente a lo largo del día, ayuda a mantener la boca limpia y libre de residuos. Además, tiene propiedades antibacterianas, antivirales y antifúngicas.

Problemas odontológicos

Mientras algunos bebés desarrollan todos sus dientes con pocas molestias, otros sufren terriblemente.

Aunque el bebé no puede decirles a sus padres lo que le atormenta, sí muestra ciertos indicios de que le están creciendo los dientes: está sonrojado y con fiebre, las encías están inflamadas y babea a causa del exceso de saliva que produce el crecimiento dental.

Muchos bebés se llevan a la boca y mastican lo primero que ven, y de este modo intentan aliviar el dolor.

En el aspecto emocional, cuando les salen los dientes, los bebés se sienten afligidos y se quejan constantemente por el dolor.

Bebés que nacen con dientes

Al nacer, uno de cada 2.000 bebés muestra lo que se denomina «diente natal», un único diente que emerge de la boca del recién nacido. En estos casos, ese diente interfiere en el amamantamiento, y suele extraerse para mayor comodidad de la madre y seguridad del bebé. Si se deja en su lugar, puede dañar fácilmente la boca del bebé.

Destete

Hoy en día, se aconseja a las madres que alimenten a su bebé solo con leche materna durante los seis primeros meses. Después, se introduce gradualmente la comida sólida y se combina con la ingesta de leche. Entre los seis y nueve meses, la proporción de comidas sólidas se incrementa.

Destete primitivo

¿Cómo destetaban las madres a sus bebés cuando no había comida para bebés? ¿Cómo superaban las madres primitivas esta transición? La respuesta es que hacían lo mismo que los animales: alimentándolo boca a boca. La madre masticaba la comida hasta formar una masa parecida a una sopa caliente. Entonces acercaba los labios a los de su bebé e introducía la lengua. Ante la presencia de la lengua, el bebé reaccionaba como si fuera el pezón y empezaba a succionar. De este modo, ingería la comida masticada y comenzaba el proceso de destete.

Destete moderno

Hoy en día, el destete es sencillo. Las batidoras eléctricas están al alcance de todo el mundo. Sin embargo, y a pesar de la facilidad con que uno ofrece comida sólida a los bebés, es fundamental no apresurar el proceso. La comida sólida debe introducirse paulatinamente, poco a poco, al mismo tiempo que se reduce la leche materna. Un cambio repentino no es aconsejable: para este cambio de dieta se requiere, al menos, tres meses.

Cuestión de gustos

Sorprendentemente, un bebé tiene más papilas gustativas que un adulto. Además de la lengua, también están en el paladar, en la parte posterior de la garganta, en las amígdalas y en el interior de las mejillas. Existen cuatro sabores básicos: amargo, salado, agrio y dulce. Si un bebé prueba cada sabor por separado, rechazará los tres primeros y adorará el último. Durante los primeros meses, solo quiere comidas dulces. Los demás sabores le provocan rechazo y, en algunos casos, llanto.

De líquidos a sólidos

El proceso por el cual el bebé pasa de ingerir líquidos y comidas blandas a sólidos exige paciencia. El bebé, que prefiere los sabores dulces, no siempre acepta ingerir una dieta variada. Algunos expertos sugieren que este «afán goloso» puede vencerse durante el proceso de destete. Tenemos miedo a que, si los bebés se alimentan solo de comidas dulces, como el puré de plátano, puedan hacerse tan dependientes del azúcar que, después, cuando su salud exija una dieta mucho más variada, les resulte imposible ingerir cualquier otro tipo de comida.

Dormir y soñar

Los padres primerizos no tardan en descubrir que el sueño de su bebé difiere del suyo. Un recién nacido duerme el doble que un adulto, aunque no lo hace de forma continuada. Para empezar, duerme más de día que de noche. Es imposible modificar el sueño infantil y, al menos durante las primeras semanas, son los adultos quienes deben adaptarse.

Hora de dormir

Durante la primera semana de vida, un bebé duerme 16,6 horas al día. Este período de tiempo puede dividirse en 18 siestas.

Sin embargo, puede ocurrir que un bebé duerma más horas, o menos, pues siempre hay variaciones, según el bebé.

De hecho, algunos reposan solo 10,5 horas al día, mientras que otros dormitan 23.

Cuando el bebé alcanza las cuatro semanas de vida, el sueño se reduce dos horas. En promedio, un bebé de un mes duerme 14,75 horas, que, dos meses después, se reducen a 14. Al año de edad, esta cifra desciende a 13 horas de sueño, y continúa reduciéndose hasta llegar a 12 horas. A partir de entonces, disminuye paulatinamente hasta alcanzar las ocho horas de sueño de un adulto.

Esta reducción gradual es más evidente durante el día, sobre todo durante la tercera semana de vida, cuando ya se ve una ligera diferencia entre el sueño diurno y el nocturno. Un bebé de tres semanas duerme alrededor del 54% de las horas diurnas y el 72% de las nocturnas. Cuando cumple veintiséis semanas, estas cifras cambian al 28% y el 83%, respectivamente. Entonces, durante el día, el bebé solo se echa alguna siestecita de forma que, por la noche, los padres puedan descansar, ya que el bebé goza de diez horas de sueño ininterrumpido. Pronto solo habrá una siesta matutina y otra por la tarde y, cuando celebre su primer cumpleaños, la siesta de la mañana desaparecerá.

Tipos de sueño

Existen dos formas diferentes de dormir. La primera es dormir soñando, y la segunda es dormir profundamente. Mientras el bebé sueña, los párpados tiemblan y los ojos se mueven de un lado al otro rápidamente. Por esta razón, este tipo de sueño se denomina técnicamente movimiento ocular rápido (MOR). En el caso de los adultos, la fase MOR ocupa una tercera parte de su sueño. En cambio, en un bebé, representa la mitad o incluso dos tercios.

Durante la fase MOR, aumenta el flujo sanguíneo hacia el cerebro, lo cual beneficia la capacidad de aprendizaje del bebé. Cuando está despierto, está pendiente de todo e incrementa su capacidad de procesar y retener información, a la vez que sus sentidos se agudizan. Durante la fase de sueño profundo, el cuerpo se restablece, la sangre se dirige a los músculos en desarrollo, se liberan hormonas de crecimiento y se agiliza la división de células.

El bebé soñador

Evidentemente, es imposible saber cuáles son los sueños del bebé, ya que tiene que asimilar mucha información cada veinticuatro horas. Un recién nacido entra en la fase MOR cuando se duerme, a diferencia de un bebé mayor, que primero cae en una fase de sueño profundo. Si contempla a un bebé durmiendo, le resultará sencillo averiguar en qué fase está. Además del movimiento ocular, también se mueve de forma nerviosa y su respiración se torna algo irregular. Cuando deja de soñar, se sumerge en un sueño profundo, el cuerpo se queda inmóvil, los músculos se relajan y su rostro refleja tranquilidad.

Un paso adelante

El movimiento

Algunos animales corren desde el día en que nacen, pero el cuerpo humano debe esperar varios meses antes de llevar a cabo cualquier locomoción. Los movimientos corporales se desarrollan gradual y lentamente, en una secuencia previsible.

Primeros movimientos

Los primeros movimientos que lleva a cabo el bebé son acciones sutiles que realiza mientras explora el pecho materno. A partir de estas primeras caricias torpes, no tarda en desarrollar una serie de movimientos sencillos para agarrarse y sujetarse mientras investiga las superficies que lo rodean. Enseguida aprende a diferenciar entre texturas duras y blandas, ásperas y suaves, y frías y cálidas.

Aunque es posible que un bebé dé puntapiés y agite los brazos cuando intenta mover todo el cuerpo, en general solo logra retorcerse cuando se siente incómodo. Su primer movimiento corporal aparece cuando descubre que, si apoya los talones y empuja, se impulsa hacia adelante. Pese a este pequeño triunfo, un bebé de pocas semanas de vida está completamente indefenso.

Alzar la barbilla, el pecho y las nalgas

A media que pasan las semanas, la movilidad se hace más evidente. El bebé intenta levantar la barbilla del suelo, como si estuviera incómodo en esa posición. Esto sucede a las cuatro semanas de vida, aunque el control de la cabeza como tal no llega hasta algunos meses después. E incluso entonces, es posible que necesite ayuda para mantener la cabeza erguida. Al intentar alzar el cuerpo, la cabeza, que está más desarrollada que el resto del cuerpo, le pesará.

A las dieciséis semanas de vida, el bebé es capaz de empujarse con los brazos y, un poco más tarde, intenta hacer lo mismo con las piernas. Al principio, solo logra alzar la barbilla y las nalgas al mismo tiempo. Es como si se preparase para gatear perfeccionando las manos y los pies por separado, pues es incapaz de hacerlo simultáneamente.

Quizá por frustración, el bebé comienza a dar vueltas, con lo que descubre que puede moverse de un lado para otro.

Deslizarse, gatear y caminar

La siguiente fase incluye el desarrollo del «deslizamiento», una especie de gateo en que el bebé se impulsa a sí mismo hacia delante con la barriga en el suelo y utiliza ambos brazos y piernas para moverse hacia adelante.

A los siete meses, descubre que puede sentarse sin ayuda de adultos y controlar tal postura. Su cuerpo es más fuerte y, a los ocho meses, el bebé comienza a gatear. Esta fase dura varios meses, hasta que el bebé se las arregla para adoptar una posición vertical, primero con la ayuda de sus padres y después por sí solo. Cuando consigue ponerse de pie, el bebé ya es capaz de caminar.

Los músculos

El bebé nace con poca capacidad muscular; sin embargo, a las veinticuatro semanas de vida muestra un gran control de los músculos. Los padres pueden sujetarlo cuando está sentado o de pie, y observar el esfuerzo que este realiza para mantener la postura. Es posible que no tenga éxito, pero mientras lo intenta, su sistema muscular se desarrolla sometiéndose a las pruebas de las posturas y movimientos corporales.

Crecimiento muscular

El bebé posee todas las fibras musculares al nacer, aunque son muy pequeñas y laxas. A medida que crecen, estas fibras neonatales crecen en tamaño, en grosor y en solidez. Este desarrollo se produce «de la cabeza a los pies», de manera que los músculos más cercanos a la cabeza siempre estarán ligeramente más avanzados. Los músculos de un adulto son cuarenta veces más resistentes que los de un bebé. Los niños tienen más tejido muscular que las niñas, una diferencia que perdura hasta la edad adulta. Además, su crecimiento físico es más variable que el de las niñas.

Tipos de músculo

Al igual que un adulto, un bebé tiene tres tipos de músculos: los músculos estriados, también denominados voluntarios, controlan el movimiento de las extremidades, el cuello y el rostro. Están unidos al esqueleto y, por ello, también reciben el nombre de «músculos del esqueleto». A medida que crece el bebé, el control sobre las acciones de estos músculos es más preciso.

Los músculos lisos son involuntarios. No hay un control consciente sobre ellos, y su movimiento pasa desapercibido. Los músculos lisos controlan el recorrido de la comida por el cuerpo, tanto los movimientos circulares, cuando pasa por el intestino, como los longitudinales, cuando este se ensancha. Los músculos lisos también controlan las glándulas salivales: las aprieta durante la ingestión y humedece la comida. El iris del ojo, que cambia dependiendo de la intensidad de la luz, también está controlado automáticamente por los músculos lisos.

Los músculos cardíacos son estriados, aunque también involuntarios. Crean un latido estable de forma automática, y, según la actividad física del ser humano, lo acelerarán o lo reducirán. En momentos de miedo, ira o ansiedad también aceleran el ritmo cardíaco, pues son estados de ánimo que anticipan una actividad física (que puede producirse o no).

Trabajar en parejas

Los tres tipos de músculos se contraen de forma activa, pero se relajan de forma pasiva. Por ello, tienen que trabajar en parejas, y mientras uno se contrae a la fuerza, el otro se relaja y puede estirarse. Por ejemplo, si los bíceps braquiales se contraen, el brazo se dobla. En cambio, si los tríceps se contraen, el brazo se endereza. De este modo, cuando el brazo se mueve hacia adelante y atrás, no hay ningún músculo que se relaje, sino dos que se contraen. En los recién nacidos, este sistema aún es débil, pero a medida que crecen cobra más fuerza.

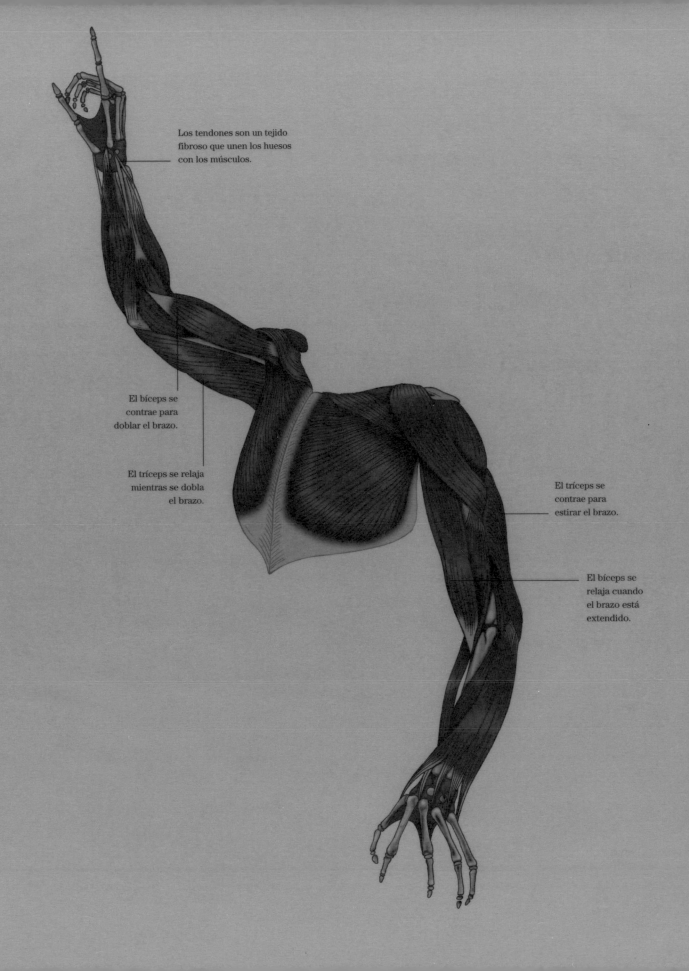

Los tendones son un tejido fibroso que unen los huesos con los músculos.

El bíceps se contrae para doblar el brazo.

El tríceps se relaja mientras se dobla el brazo.

El tríceps se contrae para estirar el brazo.

El bíceps se relaja cuando el brazo está extendido.

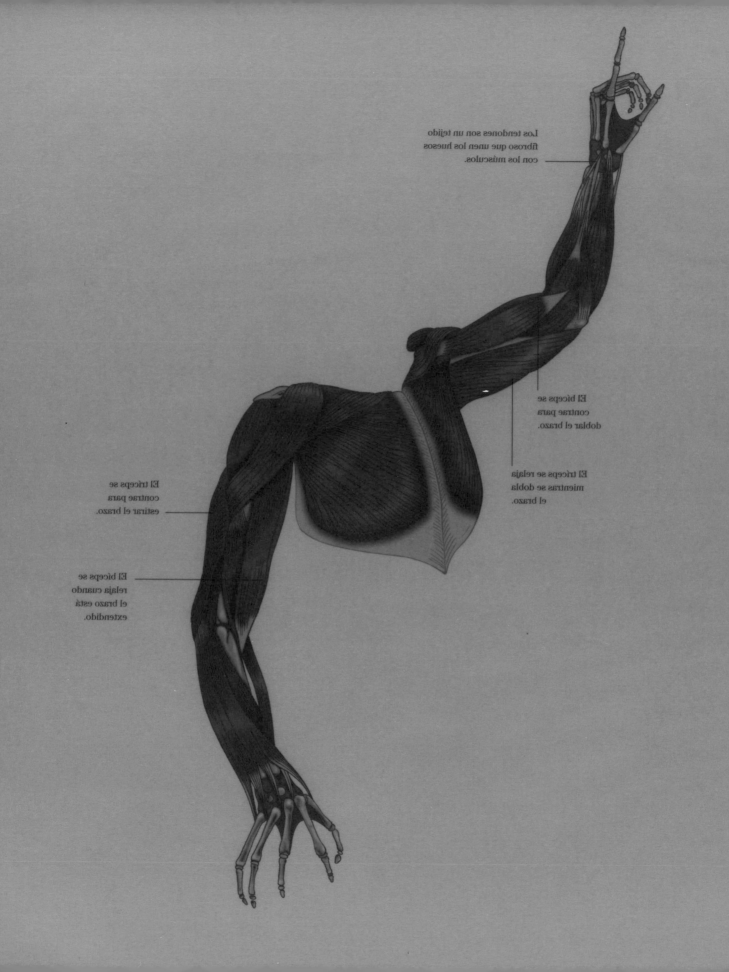

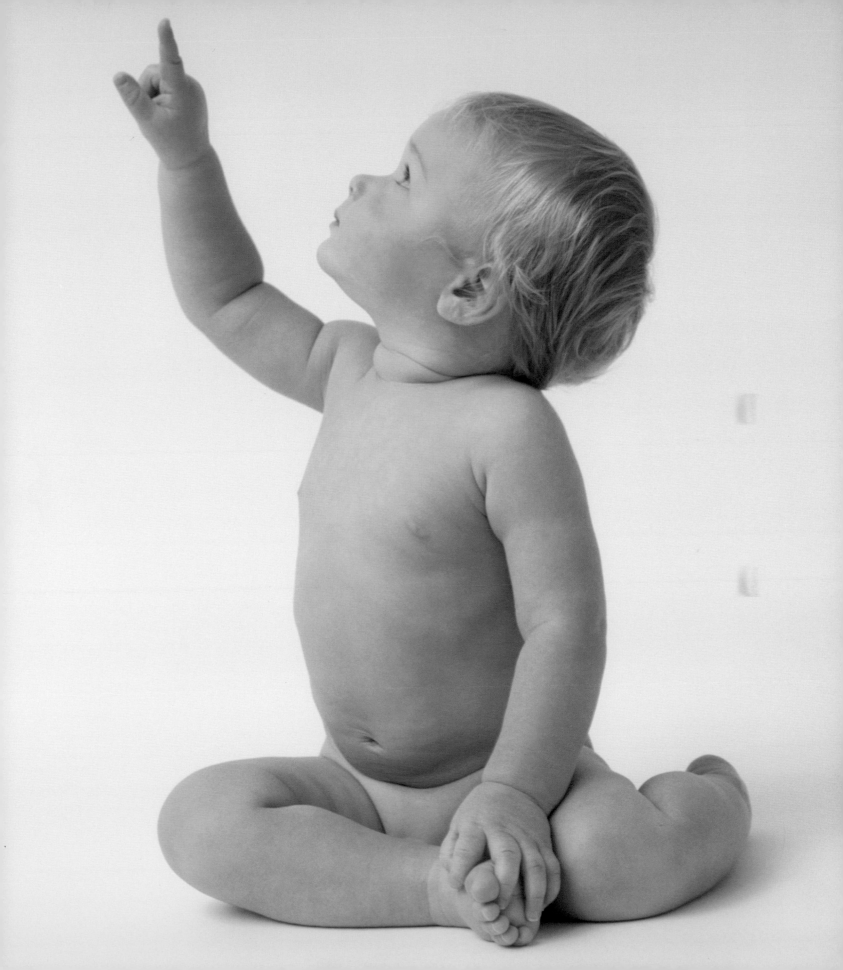

Flexibilidad

Durante los primeros meses, cuando los huesos aún son blandos y maleables, el bebé disfruta de una gran flexibilidad. Puede realizar movimientos imposibles y adoptar posturas que solo un adulto contorsionista podría imitar. Puede, por ejemplo, agarrarse los dedos de los pies y acercárselos a la boca.

Los masajes para bebés son cada vez más populares. Está demostrado que darle un masaje diario al bebé aumenta su flexibilidad, mejora su circulación sanguínea, incrementa su coordinación y contribuye al desarrollo de una buena postura. La verdad es que el crecimiento natural de un bebé sano y saludable proporciona las mejoras físicas necesarias. Como a los bebés les encanta el contacto físico, un masaje diario lo beneficiará, pero no aumentará su flexibilidad natural. A medida que el bebé crece, los cartílagos del esqueleto se endurecen hasta formar los huesos, y la flexibilidad corporal se reduce mientras el cuerpo se hace más resistente y móvil.

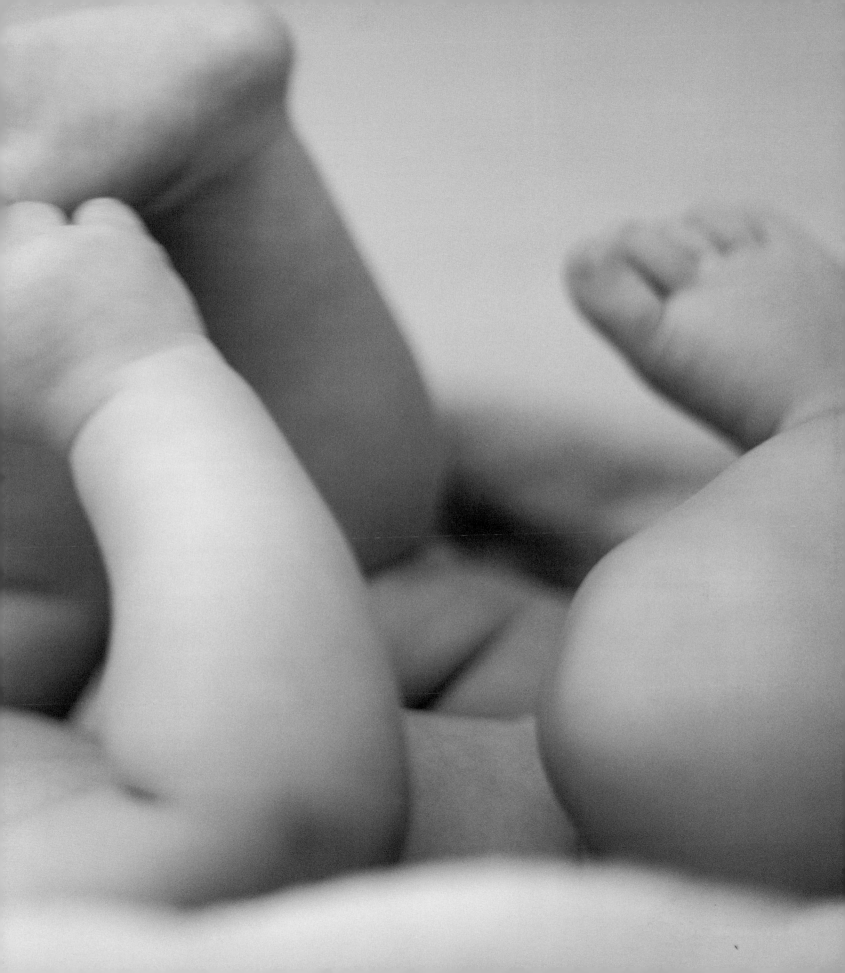

Las manos

Las manos del recién nacido son incapaces de realizar movimientos precisos. Aparte del reflejo de prensión palmar (consultar «Reflejos del bebé», página 23), poca cosa más puede hacer un bebé con los dedos. Sin embargo, en poco tiempo es capaz de alcanzar y agarrar pequeños objetos que le llamen la atención. El siguiente paso es alcanzar los objetos y acercárselos a la boca para examinarlos. Más tarde, los dedos pueden realizar movimientos más delicados además de los anteriores.

Primeros movimientos

Durante las primeras semanas de vida, el bebé mantiene las manos cerradas la mayor parte del tiempo. Después, a partir de la sexta semana, intenta tirar de una mano utilizando la otra. A las ocho semanas, intenta abrir y cerrar los dedos, como si estuviera divirtiéndose con un juguete colgante.

Prensión palmar

A las doce semanas de vida, el bebé controla mejor los movimientos con las manos e intenta golpear cualquier objeto cercano. Ahora juega más con las manos, explorándolas y adivinando cómo funcionan.

A las quince semanas, intenta alcanzar los objetos con ambas manos. Los movimientos aún son torpes, pues utiliza toda la mano en lugar de solo los dedos. A las veinte semanas, su prensión palmar es más fuerte y eficiente. Tiende a alcanzar objetos y acercárselos a la boca para investigarlos utilizando los labios y la lengua.

Agarrar y soltar

Cuando el bebé cumple el séptimo mes, los movimientos de las manos son lo suficientemente precisos como para empezar a jugar con bloques de madera. Además, también puede agarrar objetos, moverlos de un lado para otro y soltarlos a voluntad. A los ocho meses, extiende la mano en un intento de alimentarse por sí solo y, cuando le dan de beber, es capaz de agarrar el biberón con las manos y mantenerlo en esa postura, aunque no siempre le sale bien. En esta fase, su destreza progresa a pasos agigantados.

Movimiento de pinza

En este momento, el bebé ha descubierto lo divertido que es dar palmas, y aparece el primer indicio de mover un único dedo, normalmente apuntando con el dedo índice. Esto anuncia el uso de los dedos por separado e indica el gran paso que supone el utilizar el pulgar y el índice para coger y sujetar objetos pequeños con precisión. Esto suele suceder durante el décimo mes de vida.

Con un año de edad, un bebé es capaz de pasar las páginas de un libro, agarrar objetos con firmeza, utilizar los dedos a modo de pinza, apilar juguetes y tirarlos, y alimentarse por sí mismo con una cuchara. Durante el segundo año, todas estas capacidades manuales se perfeccionan, y semana tras semana se demuestra un control más preciso.

Las huellas del bebé

Las manos de un bebé tienen huellas dactilares desde antes de nacer. Entre el tercer y quinto mes de embarazo, los diminutos dedos del feto comienzan a mostrar huellas. Las huellas dactilares son únicas, y permanecen idénticas a lo largo de la vida. Aunque los dedos y las manos crezcan, estos patrones complejos no cambian.

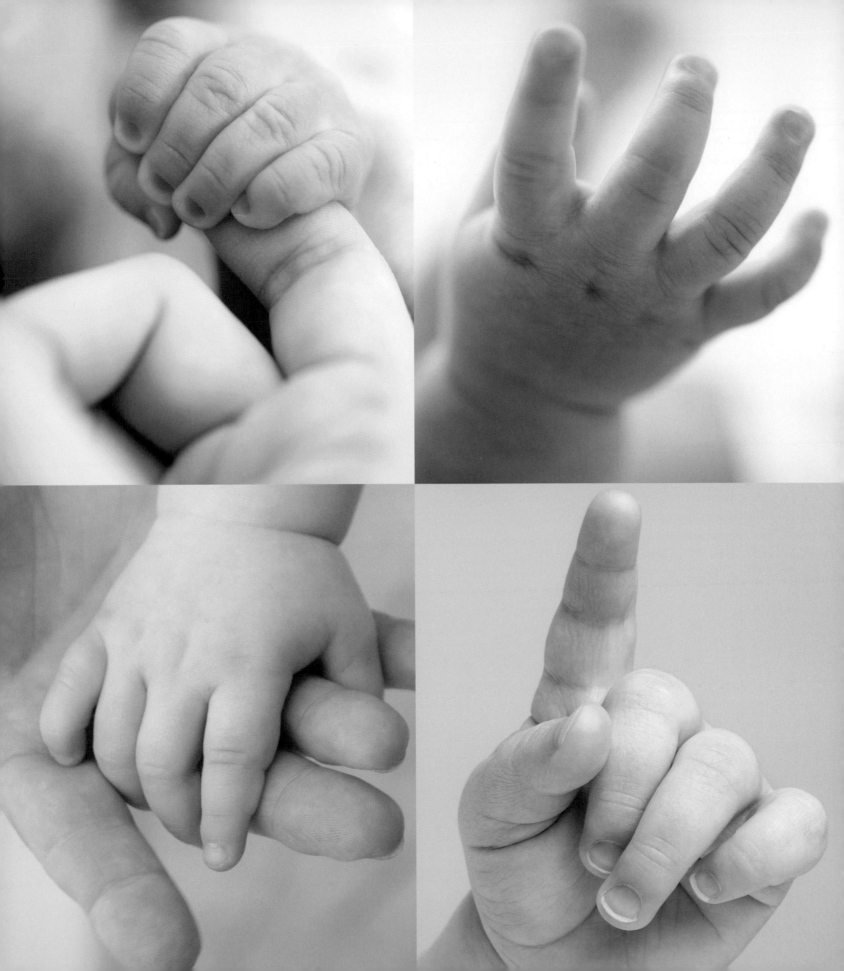

Actividad de las manos

Durante los primeros años de vida, el bebé pasa por una serie de «fases manuales». Es como un péndulo que oscila hacia adelante y hacia atrás, hacia un lado y hacia el otro, un día favoreciendo una mano y después la otra. Cuando el péndulo deja de oscilar, el bebé escoge la mano que lo convertirá en diestro o zurdo para el resto de su vida. Sin embargo, mientras oscila nadie sabe dónde parará.

Primeras tendencias

Cuando un adulto le entrega un objeto a un bebé de tres meses, este tiende a alcanzarlo con ambas manos. Los movimientos de los brazos son imprecisos y, en general, siempre domina una mano sobre la otra. Así pues, durante esta fase no hay tendencias diestras o zurdas.

A los cuatro meses, el bebé alcanza el objeto con una mano que, en la mayoría de casos, es la izquierda. Algunos estudios han revelado que las tendencias zurdas que se registran durante esta fase de desarrollo no determinan la preferencia adulta. De hecho, esta tendencia desaparece a los seis meses, y no hay preferencia alguna.

Las oscilaciones del péndulo

A los siete meses, el péndulo oscila hacia la derecha. El bebé aún experimenta con ambas manos, pero, en general, tiende a utilizar más la derecha. Esta tendencia diestra desaparece a los ocho meses, período en el que el bebé utiliza ambas manos indistintamente. El péndulo oscila una vez más hacia la izquierda cuando el bebé cumple nueve meses, ya que utiliza la mano izquierda más que antes. A los diez meses, se produce otro cambio, y la mano derecha vuelve a dominar.

Es posible que, a los once meses, el bebé muestre una tendencia a ser zurdo, pero en la mayoría domina la mano derecha. Esta situación dura hasta que el bebé cumple un año, y se asume que para entonces ya ha escogido su preferencia. Pero no es así.

Más experimentos

A los veinte meses, se produce un período de confusión en el que el bebé utiliza ambas manos sin mostrar una tendencia determinada. A finales del segundo año, la mano derecha del bebé adopta el papel dominante otra vez. Después, entre los dos años y medio y los tres y medio, el bebé vuelve a experimentar una fase de confusión en la que ninguna mano domina sobre la otra. Después, a los cuatro años, el niño establece cuál es su preferencia, que crece a medida que pasan los años y, cuando cumple los ocho, ya no hay vuelta atrás.

¿Zurdo o diestro?

Durante esta fase, uno de cada diez niños es zurdo y nueve son diestros. Nadie sabe por qué los seres humanos tienen esta tendencia diestra. Sin embargo, algunos estudios sobre manos ancestrales indican que esta tendencia existe desde hace doscientos mil años; no es un desarrollo moderno.

La forma en que el bebé se acomoda en el útero materno ya establece una postura preferida al final del embarazo. La mayoría de bebés se apoyan sobre el costado derecho para estar más cerca de la superficie materna. Esto significa que el costado derecho del bebé recibe más estimulación durante el embarazo, y por eso se desarrolla antes que el izquierdo. En términos anatómicos, el costado izquierdo del cuerpo del feto tiene más nervios que el derecho. Y, al nacer, el bebé muestra más actividad eléctrica en la zona del cerebro que controla la parte derecha del cuerpo. Así que, al parecer, desde el principio siempre hay una tendencia a ser diestro.

Aprender a rodar

Para la mayoría de bebés, el primer método de movimiento es rodar. Si un juguete no está a su alcance, el bebé se estira y se las arregla para volcar su cuerpo y girar en la dirección del objeto deseado. Cuando descubre que puede hacer esto, el movimiento se convierte en una aventura que repite una y otra vez.

De adelante hacia atrás

La forma más fácil de dar vueltas, de adelante hacia atrás, puede surgir a los pocos meses de vida. Un tercio de los «bebés que dan vueltas» realizan esta maniobra a finales del tercer mes de vida. Apoyado sobre su estómago, el bebé comienza alzando la cabeza y después se inclina sobre un costado. Hasta que los músculos de los brazos y el cuello cobran fuerza, se inclina siempre, hasta que un día descubre que puede girarse sobre su espalda. El siguiente paso es utilizar este movimiento deliberadamente para acercarse a algo, ya sea un juguete, la madre o cualquier otra cosa que le llame la atención.

De atrás hacia adelante

Para la mayoría de bebés, el giro inverso, de atrás hacia adelante, aparece un poco más tarde, a los cinco meses. A los seis meses de edad, el 90% de los bebés son expertos en técnicas de giro y las utilizan para moverse aunque de una forma torpe y poco eficiente. Pocos bebés giran antes de atrás hacia adelante que de delante hacia atrás. En cambio, otros no se molestan en girarse, sino que pasan directamente a las siguientes fases de sentarse y gatear.

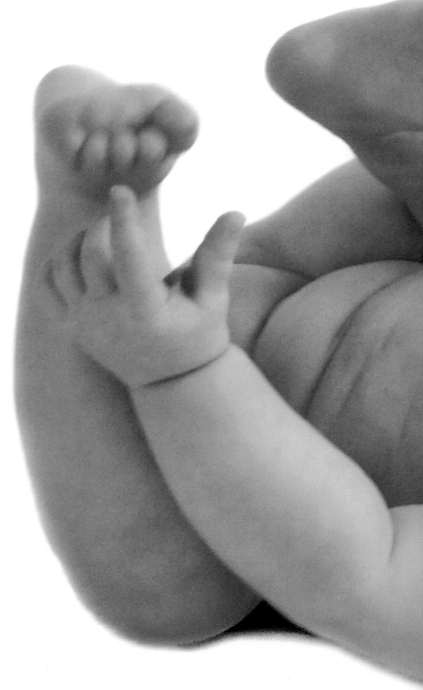

Rodar con prudencia

Cuando el bebé comienza a girar, es importante que los padres lo vigilen constantemente y que no lo pierdan de vista ni un solo momento, aunque esté en la cama o en el cambiador. Esto no significa que deban inhibir este movimiento. Todo lo contrario, deberían colocar juguetes fuera del alcance del bebé para animarlo a ejercitar el cuerpo. Girar con seguridad es una forma ideal de ejercitar los músculos de las extremidades y el cuello. Es un tipo de gimnasia que ayuda a fortalecer los músculos y coordinar las extremidades.

Aprender a sentarse

Durante los primeros meses de vida, el bebé observa el mundo desde una perspectiva poco habitual. La mayor parte del tiempo está tumbado sobre la espalda contemplando el techo hasta que algún adulto lo toma en brazos y puede ver el mundo como el resto de los mortales.

A mitad de camino

El cambio empieza cuando los músculos del cuello cobran más fuerza y el bebé es capaz de alzar la cabeza. Con la ayuda de una mano adulta, intenta sentarse, aunque se cae enseguida. Los músculos del bebé se desarrollan muy lentamente, así que los padres deben ser pacientes. En poco tiempo, el bebé habrá cruzado ese umbral y se sentará sin ayuda.

Postura trípode

Cuando el bebé experimenta lo que es estar sentado, a los tres meses de vida, hace todo lo posible para volver a hacerlo. Al final, tiene la fuerza suficiente para levantarse, aunque carece del equilibrio para mantenerse en esta postura. Por ello, adopta la denominada «postura trípode», en la que el bebé se mantiene erguido mientras apoya las manos en el suelo.

¡Mira, sin manos!

Entre los cuatro y los siete meses, casi todos los bebés intentan sentarse por sí solos, sin ayuda. Los músculos del cuello, espalda y piernas ya están desarrollados y el bebé puede levantarse y mantenerse en esa postura, lo cual le encanta. Normalmente esto ocurre a los cinco meses, pero algunos bebés no lo consiguen hasta el octavo mes. Además de disfrutar de la estupenda vista que obtiene con esta postura, el bebé puede utilizar los brazos y manos con libertad. Puede alcanzar objetos y examinarlos. Con los juguetes adecuados, descubre un mundo nuevo.

El siguiente paso…

Entre los siete y los nueve meses, el bebé es capaz de mantenerse sentado durante unos minutos.

Pero ahora está a punto de cruzar un umbral más importante, el de gatear utilizando las cuatro extremidades.

Todo lo que tiene que hacer es inclinarse hacia adelante cuando está sentado y apoyar las manos en el suelo. Después, manteniendo el equilibrio, solo debe realizar pequeños movimientos para gatear.

Aprender a gatear

Entre los cinco y los ocho meses, la mayoría de los bebés aprenden a gatear, la primera acción que les permite moverse con eficacia. Los demás métodos para moverse, como el dar vueltas, nunca le proporcionan al bebé movimientos rápidos, a diferencia del gateo, que le permite explorar el mundo que lo rodea de una manera nueva y emocionante.

El verdadero gateo

La forma más primitiva de gatear se basa en arrastrar el cuerpo sin alzar del suelo la parte inferior. Es una forma de avanzar, aunque enseguida aprende el verdadero gateo, en el que el bebé alza el cuerpo y se mueve con la ayuda de las manos y las rodillas. Esto suele suceder a los siete meses de vida, y le permite al bebé sentir una gran alegría repentina mientras se mueve por el suelo en busca de nuevas cosas para explorar e investigar.

Gatear no es alternar el movimiento de las manos y los pies, sino el de las manos y las rodillas mientras se mantienen las piernas dobladas. Cuando el bebé descubre esta forma de avanzar, a veces se emociona tanto que gatea hacia atrás aunque el juguete está delante. Al parecer, el movimiento hacia atrás es más sencillo de adquirir pero, poco a poco, aprende a dirigir el cuerpo hacia donde quiere.

Entre los nueve meses y el año, el bebé aprende a gatear con mayor rapidez, e incluso algunos adquieren una velocidad considerable. Desarrolla la costumbre de gatear con rapidez y energía. Entretanto, fortalece los músculos de los brazos, las piernas y la espalda, lo cual lo prepara para empezar a caminar. Si se colocan los juguetes fuera del alcance del bebé, se estimula esta forma de gateo.

Variaciones

La edad exacta en la que el bebé empieza a gatear varía dependiendo del bebé.

Alrededor del 8% comienzan a gatear prematuramente, con menos de cinco meses. En el otro extremo de la escala, el 6% de los bebés lo hacen cuando superan los diez meses de edad.

Algunos no llegan a gatear, sino que prefieren dar vueltas, deslizarse o caminar, y se saltan esta fase. Es poco habitual, pero sucede.

Los peligros del gateo

El bebé siente gran curiosidad por las cosas y, una vez empieza a gatear, puede satisfacer esta necesidad de maneras muy peligrosas. Le encanta introducir los dedos en agujeros pequeños, como los enchufes. Le fascinan los botones del mando de la televisión, y los cables que hay detrás de esta. Adora tirar de los manteles y meterse en los armarios de la cocina, repletos de productos químicos. Y es especialmente experto en recoger objetos pequeños y afilados e introducírselos en la boca. Los padres deben eliminar este tipo de peligros para evitar que le pase algo al bebé.

Aprender a levantarse

Mantenerse de pie sin ayuda, es un paso muy importante. La edad en la que esto ocurre varía dependiendo del bebé, pero suele suceder a los ocho meses. Alrededor de una cuarta parte de los bebés lo consiguen antes, mientras que otros lo intentan más tarde. El 5% no se mantienen de pie solos hasta el año de edad.

Mantenerse de pie sin ayuda

El triunfo que supone el mantenerse de pie no llega de repente, sino que pasa por tres fases diferentes. Al principio, el bebé necesita la ayuda de sus padres. En esta postura, pone a prueba la resistencia de sus piernas, además de saber qué es estar erguido. Si el padre relaja los brazos, las piernas del bebé empiezan a flaquear, lo cual significa que no está preparado. Cuando el bebé siente curiosidad por alcanzar esta postura, comienza a gatear hacia algún mueble e intenta ponerse de pie.

Una vez ha alcanzado la postura vertical, se detiene para contemplar el mundo desde esta altura, aunque enseguida se cae hacia atrás. Sin inmutarse, sigue intentándolo hasta que, un glorioso día, consigue quedarse de pie sin caerse, la última etapa de este viaje.

Articulaciones

El cuerpo humano contiene 230 articulaciones. Algunas son fijas y no permiten movimiento alguno, aunque la mayoría están vinculadas con los movimientos del cuerpo. En el caso del recién nacido, no actúan porque los sistemas que las utilizan (esqueleto, músculos y sistema nervioso) aún no están desarrollados. Sin embargo, durante los dos primeros años, todos estos sistemas entran en acción y, en el segundo cumpleaños, todas las articulaciones funcionan perfectamente.

Articulaciones fibrosas

Estas conectan los huesos, de forma que no permiten movimiento alguno. Los huesos del cráneo y la faja pélvica son rígidos, y las diferentes placas están unidas por articulaciones fibrosas. Estas también se desarrollan en la columna vertebral cuando los huesos comienzan a unirse.

Articulaciones cartilaginosas

En este caso, los huesos están unidos por cartílago, que permite poco movimiento. Las costillas y las vértebras forman parte de esta categoría.

Articulaciones sinoviales

Estas articulaciones son las verdaderamente móviles. Cuando dos huesos se unen y realizan algún movimiento, existe riesgo de fricción, que se reduce gracias a la presencia de un cartílago más flexible. Los huesos están recubiertos por este cartílago, que funciona como amortiguador entre dos superficies duras. Además, una membrana protectora segrega líquido sinovial, que lubrica las partes móviles de las articulaciones. Existen siete tipos de articulaciones sinoviales:

La articulación en esfera da libertad de movimiento. El bebé tiene cuatro: dos en los hombros y dos en las caderas. En las caderas, el extremo esférico del fémur encaja en la fosa de la faja pélvica. De forma similar, el húmero encaja en la fosa de la escápula. Esta fosa es más superficial que la de la cadera, con lo cual permite más movimientos que cualquier otra articulación corporal. Sin embargo, esta ventaja conlleva el riesgo de que el hombro se disloque más fácilmente que el resto.

La articulación elipsoidal es similar a la anterior, pero con menos libertad de movimientos. La muñeca tiene una articulación elipsoidal, al igual que los dedos en el punto en el que se unen con la palma de la mano. Esta clase de articulaciones permite la flexión y la extensión de adelante hacia atrás, y de izquierda a derecha. Si estos elementos se combinan, crean una rotación primitiva y mucho más limitada que si hubiera una articulación esférica.

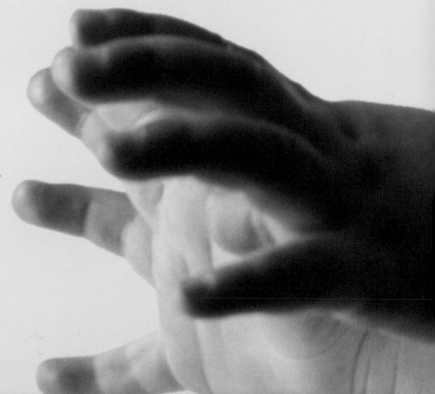

La articulación en silla de montar es muy versátil y permite todo tipo de movimientos, de adelante hacia atrás y de arriba abajo, pues el extremo cóncavo del hueso se acopla con otro. El tobillo y la base del pulgar contienen este tipo de articulaciones.

La articulación en bisagra solo permite un plano de movimiento, de arriba abajo o de atrás hacia adelante. El codo tiene una articulación ginglimoide.

La articulación de cóndilo es similar a la anterior, pero, además del movimiento básico, permite la rotación. La rodilla contiene este tipo de articulación. Como el mecanismo de la rodilla es tan complejo y fundamental para que el ser humano camine, esta articulación contiene un mecanismo protector adicional: un diminuto saco repleto de líquido denominado bursa, que actúa como amortiguador de golpes.

La articulación plana permite pocos movimientos y está en los dedos de los pies. También se denomina articulación deslizante, ya que los huesos se rozan entre sí.

La articulación giratoria permite la rotación sobre un eje. Aparece entre dos huesos del cuello, el atlas y el axis, y permite la rotación de la cabeza. Los antebrazos también contienen articulaciones giratorias, entre el radio y el cúbito.

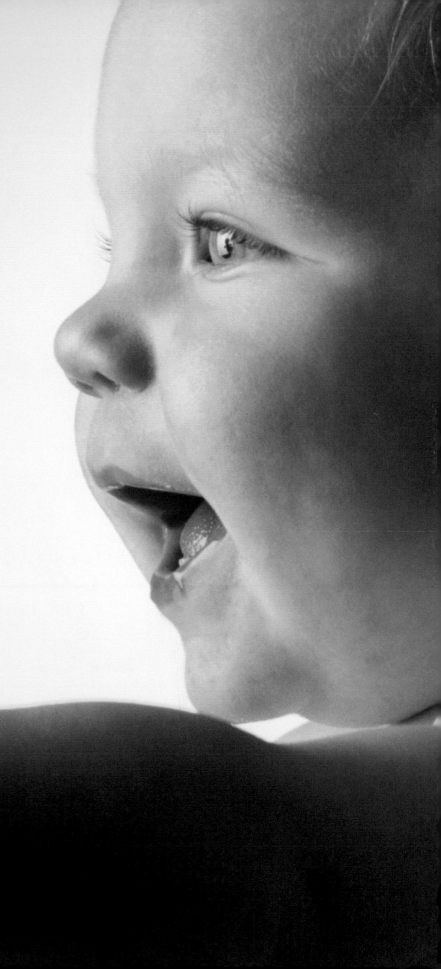

Aprender a caminar

Caminar solo es lo que diferencia al bebé humano de los demás mamíferos. Existen más de cuatro mil especies de mamíferos en el planeta, pero solo uno es bípedo. Los canguros también son bípedos, pero no caminan, sino que saltan. Los simios y los osos pueden tambalearse sobre las patas traseras, pero únicamente los humanos pasan la mayor parte de su etapa adulta en postura vertical y avanzando con un pie delante del otro.

El mundo vertical

Tendemos a dar esto por sentado, pero en realidad es uno de nuestros rasgos distintivos, además de la primera experiencia móvil del bebé, que deja atrás el mundo contemplado desde el suelo que comparte con otros mamíferos. Finalmente, desarrolla la curiosidad vertical, privativa de la sociedad humana.

Un gran hito

Aprender a caminar es un hito en la vida del bebé y un gran paso hacia la independencia. La mayoría de bebés aprenden a caminar sin ayuda entre los doce y los quince meses, aunque las niñas van más adelantadas. Los primeros pasos son la culminación de meses de esfuerzo, un período suficiente de prueba. Durante este tiempo, el bebé desarrolla fuerza, equilibrio y coordinación, empieza a controlar la cabeza y avanza con la ayuda de las piernas.

Una evolución natural

La capacidad de caminar sobrevive a los regímenes más estrictos. Incluso en tribus y sociedades en las que a los bebés se los ata con cuerdas a una tabla para que los adultos puedan transportarlos, es inevitable que, aunque suceda más tarde que en la mayoría de bebés, al final caminen. Esto demuestra la existencia de un proceso de madurez que empieza antes del parto.

Las etapas del caminar

Primera etapa

Los primeros indicios que muestran que el bebé está programado para caminar aparecen a los pocos días de nacer. Sujetado por las manos de sus padres, los pies rozan el suelo y el bebé patalea como si quisiera avanzar. El bebé no puede controlar ni modificar estos reflejos automáticos (consultar «Los reflejos del bebé», página 23). Estos desaparecen dos meses después, pero son un claro indicio de que el caminar bípedo está íntimamente relacionado con el cerebro humano.

Segunda etapa

Durante esta etapa, el bebé, de dos meses de edad, es incapaz de realizar movimientos andadores. Sujetado por sus padres, rozando el suelo con los pies, las rodillas le flaquean. El pataleo ha desaparecido.

Tercera etapa

A los tres meses, o incluso más tarde, cuando coloca los pies sobre una superficie resistente, el bebé tensa las piernas e intenta sostener el peso de su cuerpo. A medida que pasan las semanas, el bebé muestra adelantos, ya que las piernas tienen más fuerza y, por lo tanto, pueden mantener su cuerpo erguido.

Cuarta etapa

Entre los seis y los nueve meses, llega la etapa de «mantenerse vertical», en la que el bebé hace todo lo que puede para agarrarse a cualquier objeto y ponerse de pie. Una vez conseguido esto, contempla su nuevo reino durante unos minutos y cae sentado. A menos que se golpee con algo, la caída no le impide seguir tratando. La sensación de estar más arriba es irresistible, y otra vez vuelve a intentarlo. De esta manera se acostumbra a la sensación de que sus piernas soporten su peso corporal.

Quinta etapa

En esta etapa, el bebé camina con la ayuda de sus padres, y suele ocurrir entre los nueve y los doce meses de edad. Da unos pasos vacilantes, y después pierde el equilibro. El padre, o la madre, evitan que caiga, pero para el bebé estos errores son muy frustrantes. Sabe exactamente qué quiere hacer, pero es demasiado torpe como para conseguirlo. Es perseverante, de manera que cada vez avanza con más control, hasta que llega el momento en el que da los primeros pasos sin ayuda externa.

Sexta etapa

El bebé da los primeros pasos mientras sus padres le sujetan los brazos para ayudarlo a mantener el equilibrio. Los pasos son largos e inestables, pero, después de unos meses, los movimientos están más controlados y nadie le ayuda a mantener el equilibrio. A los dieciocho meses, la mayoría de bebés caminan con confianza.

Los pies

Al nacer, los pies del bebé miden un tercio de lo que será su talla adulta. Al año de edad, alcanzan la mitad. Además de esta diferencia de tamaño, los pies del bebé difieren mucho de los de un adulto: tienen una capa de grasa, que los hace más blandos y redondos; además, son más flexibles, ya que los huesos del interior aún están desarrollándose. Tienden a girarse hacia adentro, lo cual es una consecuencia de la postura que adoptó el bebé en el útero materno durante tanto tiempo. No obstante, cuando el bebé empieza a caminar, estas características se suavizan.

Pies planos

A medida que pasan los meses, los pies del bebé cobran fuerza. Algunos padres se preocupan al ver cómo sus pequeños intentan caminar con las piernas arqueadas y los pies hacia adentro. Sin embargo, esto es completamente normal y se corrige de manera natural cuando el bebé aprende a caminar con más seguridad. No tiene sentido intentar acelerar el proceso.

Hace muchos años, los padres se dieron cuenta de que, como a los bebés les temblaban los tobillos y tenían los pies planos, necesitaban zapatos especiales para caminar. Para que pudieran hacerlo, fabricaron zapatos rígidos y con suela de cuero. Sin embargo, investigaciones recientes han demostrado que los bebés no tienen los pies planos. Cuando reproducían a cámara lenta grabaciones de bebés intentando caminar, se demostró que movían el pie desde el talón hasta los dedos, igual que los adultos. Además, los tobillos pueden proporcionar un gran equilibrio. Por ello, todo lo que se necesita para caminar es práctica y aprender a realizar este tipo de movimiento. A partir de esta repetición, los músculos de los pies y los ligamentos se endurecen.

Ir descalzo

Estudios realizados sobre niños que crecen descalzos demuestran que en las culturas tribales se detectan menos problemas en los pies que en los países en los que se utilizan zapatos. Si el bebé camina descalzo, los pies crecen de manera natural. Los bebés descalzos desarrollan unos músculos más coordinados y fuertes que los niños que llevan zapatos. Los zapatos no deberían utilizarse para caminar por la casa, sino para protegerse de las superficies ásperas y los objetos peligrosos.

Trepar

Desde los siete hasta los doce meses, el bebé domina el gateo y quiere explorar nuevas posibilidades, entre ellas el trepar. Es una experiencia estimulante que conduce al bebé a nuevas alturas sin miedo alguno. Sin embargo, la llegada repentina de un pasatiempo más interesante conlleva sus peligros. El bebé activo puede entusiasmarse ante la novedad de vivencias poco familiares, pero al mismo tiempo no es consciente de sus riesgos y, por lo tanto, no está preparado para actuar ante los obstáculos.

El encanto de las escaleras

Por alguna razón, las escaleras atraen a todos los bebés. Un bebé que se desplace rápidamente a gatas ya puede trepar por las escaleras a gran velocidad. Como nunca se ha caído por las escaleras, no siente temor y continúa subiendo. Y entonces llega el momento. De repente, el bebé siente que su jueguito se ha acabado y se enfrenta al problema de descender las escaleras. Se da la vuelta y se percata de que está en peligro porque no tiene equilibrio. Necesita la ayuda de un adulto para bajar en la misma postura en que subió.

Mantenerse de pie y alcanzar objetos

Para un bebé de entre siete y doce meses, cualquier objeto que esté fuera de su alcance resulta atractivo. Si está demasiado alto, intenta encaramarse y levantar el brazo lo más posible para agarrarlo. En general, lo hace con torpeza, de modo que el objeto en cuestión acaba en la cabeza del bebé. En esta etapa, la curiosidad no tiene límites, y nadie se imagina los peligros que pueden ocultarse en casa y que pueden hacerle daño al aventurero bebé.

Aprender con prudencia

En el caso de bebés imprudentes, una posible solución consiste en instalar una barrera de seguridad para prevenir el acceso a la escalera. Esto funciona al principio, pero luego se convierte en todo un reto para el bebé, un obstáculo que superará encaramándose peligrosamente.

Una medida más drástica son los corralitos, en los que el bebé está encerrado y no tiene forma de escapar. Rodeado de juguetes blandos, el bebé estará entretenido durante un tiempo, y es muy útil cuando la madre está ocupada con otros asuntos. Pero, al final, este espacio comienza a frustrar la naturaleza exploradora del bebé.

El bebé disfruta mucho de una sala de juegos segura, ya que le ofrece mucho espacio para desarrollar nuevas capacidades. Si hay objetos por los que puede trepar, ubicados sobre una alfombra, tendrá la oportunidad de caerse sin hacerse daño. Tiene que aprender a ser prudente, y esta es una forma «segura» de hacerlo.

Trepadores y no trepadores

Por extraño que pueda parecer, no todos los bebés trepan. Esta necesidad de ascender varía dependiendo del bebé. Algunos no le prestan la menor atención a los lugares altos, otros sienten un interés moderado por ellos y a otros les obsesionan. Este último grupo exige una vigilancia especial. Un día, un padre se asustó al escuchar a su hijo, que no había cumplido los dos años de edad, llamarlo «papá» justo detrás de él. El motivo por el que se sobrecogió estriba en el hecho de que, en ese instante, estaba arreglando el techo de su casa. Entonces se dio cuenta que el niño había trepado por una escalera y estaba subido en el techo justo detrás de él.

Mantenerse sano

Sano y salvo

El recién nacido está protegido naturalmente contra las infecciones del mundo exterior. Además de su propio sistema inmune, también adquiere protección de la sangre materna mientras está en el útero. Si ingiere leche materna, aún conseguirá más inmunidad, pues esta es rica en anticuerpos. Los primeros días en el mundo exterior ayudarán al bebé a hacerse más inmune.

Infortunadamente, esta protección maternal no dura eternamente; solo sirve como defensa de emergencia durante los primeros meses, cuando el bebé no puede obtener inmunidad de otra manera. A partir de entonces, su sistema inmunológico desarrolla defensas contra infecciones leves, lo cual ayuda a crear anticuerpos que lo protegen (consultar «El sistema inmunológico del bebé», página 96).

Vacunas

Además del sistema inmunológico del bebé, existen vacunas protectoras que lo ayudan a resistir enfermedades que supongan una amenaza. En general, el bebé durante los dos primeros años de vida deberá recibir de cinco a seis vacunas. Algunos bebés sufren los efectos secundarios de estas, como la fiebre, pero está comprobado que los beneficios inmunitarios son mayores que los riesgos que entrañan.

Una vacuna está programada para debilitar o eliminar las bacterias o virus que provocan una enfermedad y se administra por vía oral, o bien mediante inyección. Actúa como si realmente existiera la enfermedad, y hace que las defensas produzcan anticuerpos protectores. Lo hace sin provocar afecciones peligrosas ligadas con la enfermedad que, de otro modo, serían habituales. Una vez el bebé produce los anticuerpos, éstos proporcionan inmunidad durante mucho tiempo.

Vacunas múltiples

Últimamente se ha generado un debate sobre la seguridad de las nuevas vacunas múltiples, que contienen cinco anticuerpos diferentes en una sola inyección. Esta vacuna «cinco en uno» se inyecta a las ocho, doce y dieciséis semanas, y protege al bebé contra la difteria, el tétanos, la tos ferina, la *haemophilus influenzae* tipo B (Hib) y la polio. Los más críticos afirman que existe el peligro de sobrecargar el sistema inmunológico del bebé, pero las autoridades médicas insisten en que el riesgo es mínimo o inexistente. Además, también existen vacunas contra otras enfermedades, como la hepatitis B, inyectada después del parto, o el sarampión, las paperas y la rubeola, que se inyectan más tarde, entre los doce y los quince meses.

Protección parental

El bebé humano es fuerte, se cura con rapidez y goza de un sistema inmunológico resistente. Sin embargo, tarda mucho tiempo en desarrollar la sensibilidad o las capacidades motrices necesarias para estar seguro en su entorno. Las ciudades modernas están repletas de peligros que no existían en la prehistoria, como los productos de limpieza, y los bebés no tienen defensas naturales para protegerse de estos peligros artificiales.

El bebé debe aprender a evitar las lesiones basándose en su experiencia. Por lo tanto, aunque las caídas leves y los hematomas provoquen llantos desesperados, forman parte del proceso de aprendizaje durante el cual el bebé adquiere destreza y astucia. Para los padres, el truco está en intentar reducir los peligros existentes en su entorno para que el bebé pueda disfrutar al máximo con el menor riesgo posible.

Síntomas de enfermedad

Durante los primeros meses, el bebé sufre pequeños achaques mientras crea un sistema resistente, y suele ser un experto en hacerle saber a sus padres cuándo se siente enfermo. Si está llorando y ya se han descartado las causas más evidentes (hambre, calor, frío, humedad, soledad y miedo), entonces lo más probable es que esté enfermo.

Entre los síntomas típicos se cuentan fiebre, vómitos y diarrea, además de un aspecto retraído, sudores fríos y una respiración agitada continua. Si los síntomas persisten, los padres deberían acudir al médico.

Bebés que resoplan

Un bebé puede resfriarse igual que un adulto, aunque es incapaz de coger un pañuelo para sonarse la nariz o limpiársela. De hecho, los bebés son más propensos a resfriarse que los adultos. Esto forma parte del desarrollo de su sistema inmunológico. Después de muchos años de investigación, nadie ha encontrado una cura para esta enfermedad tan común, y al bebé no le queda otra opción que esperar. Sin embargo, necesita más ayuda que un adulto. Con la nariz obstruida, el problema llega a la hora de comer, cuando intenta succionar la leche al mismo tiempo que respira por la boca, lo cual provoca una ingestión de comida insuficiente.

Bebés febriles

La fiebre se produce cuando el cuerpo se recalienta, y suele responder a una infección. No hay por qué preocuparse. Sin embargo, es un indicio de que el bebé está luchando contra un intruso y, si la fiebre persiste, los padres deberían acudir al médico.

Cólicos

No todos los bebés padecen cólicos; de hecho, solo los sufren dos de cada diez. En tales casos, los síntomas empiezan a la semana de nacer y duran hasta tres meses. Un bebé con cólico llora y grita durante horas, casi siempre por la tarde. Se retuerce, como si le estuviera doliendo mucho el estómago. Aún hoy, las causas del cólico son desconocidas, aunque se cree que pueden estar muy relacionadas con un problema digestivo o con la tensión del sistema nervioso.

Alergias

Algunos bebés tienen un sistema inmunológico hiperactivo que reacciona contra cualquier sustancia inofensiva como si fuera un invasor peligroso. Cuando esto ocurre, el sistema empieza a liberar sustancias químicas para contrarrestar la invasión. Sin invasores reales (bacterias o virus), la respuesta inmune irrita el cuerpo del bebé. Las respuestas alérgicas tardan tiempo en manifestarse y, al principio, el bebé no muestra síntomas. Después de unos meses, aparecen los síntomas, que pueden ser estornudos, congestión nasal, picor en los ojos, tos, sarpullidos o problemas intestinales. Los síntomas más graves, como la respiración agitada y la hinchazón, requieren atención médica inmediata, sobre todo si la última aparece en la boca del bebé.

Para que el problema se haga latente, el bebé tiene que estar expuesto a la sustancia, denominada alergeno, ya sea tocándola, respirándola, comiéndola o mediante una inyección. Los alergenos más habituales pueden ser ropa de lana, almohadas de plumas, detergente con lejía, gel perfumado y productos químicos para la limpieza del hogar. Otros responsables pueden ser la comida, fármacos, insectos, pelos de las mascotas y motas de polvo. Es muy difícil precisar la causa en cada caso. Aún no está claro por qué muchos bebés se libran de estos problemas mientras que otros están plagados de alergias.

El sistema inmunológico

Mientras el bebé está en el útero, parte de los anticuerpos maternos atraviesan la placenta y ayudan a protegerlo de enfermedades e infecciones. Aunque esta protección solo dura unas semanas, recibe más protección a través de la leche materna, ya que esta es rica en anticuerpos. Sin embargo, tarde o temprano, el bebé deja de depender de su madre y desarrolla su propia resistencia.

Primeros mecanismos de defensa

Estamos rodeados de microorganismos infecciosos, y resulta sorprendente cómo el bebé es capaz de combatirlos.

Cualquier virus, bacteria u organismo fúngico que intenta invadir el cuerpo debe sobrepasar una serie de mecanismos de defensa, el primero de ellos la piel. Si intentan pasar los microorganismos extraños, el cuerpo del bebé produce una respuesta inflamatoria y libera sustancias químicas, como la histamina. Esta sustancia agranda los vasos sanguíneos y atrae los glóbulos blancos, que acaban con los microorganismos invasores.

Otros mecanismos de defensa son los fluidos corporales, como la saliva, las lágrimas y el ácido gástrico. El vello y las mucosidades defienden el sistema respiratorio.

Sistema linfático

El sistema inmunológico depende del reconocimiento de antígenos extraños. Las adenoides y las amígdalas juegan un papel importante en la destrucción de microorganismos invasores, sobre todo si el bebé es propenso a padecer enfermedades en la nariz o la garganta. Estos órganos forman parte del sistema linfático, una red de vías y órganos que transportan linfa (fluido del sistema inmunológico) por el cuerpo del bebé.

Glóbulos blancos

La linfa contiene glóbulos blancos. Existen dos tipos: los macrófagos, que destruyen cuerpos extraños, y los linfocitos, que crean anticuerpos para proporcionarle al bebé una inmunidad duradera. Los linfocitos maduran en el timo, donde están expuestos a hormonas que los ayudan a desarrollar la habilidad de acabar con los organismos que transmiten enfermedades. El timo de un bebé, fundamental para fortalecer el sistema inmunológico durante los primeros años de vida, es relativamente grande comparado con el de un adulto.

Los vasos linfáticos transportan la linfa y la dirigen al torrente sanguíneo. Al pasar por los ganglios linfáticos (cuello, axilas e ingles), se filtran los patógenos, de modo que los glóbulos blancos los destruyen. Durante una infección, los ganglios linfáticos se inflaman y se ablandan.

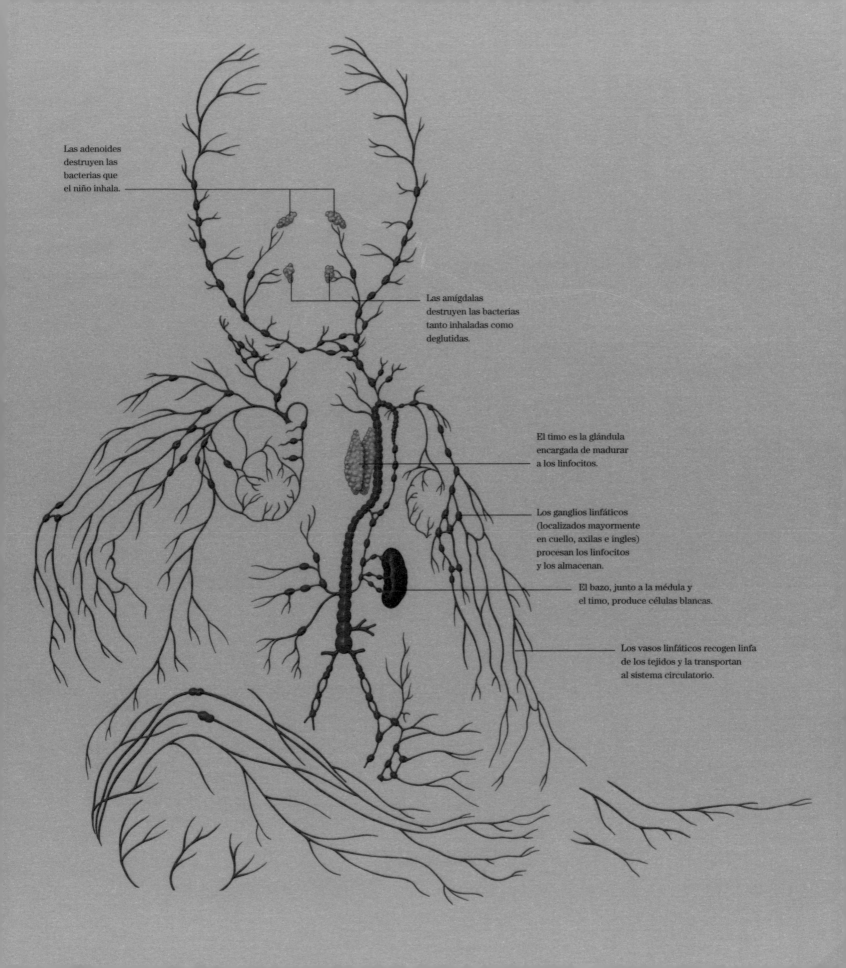

Las adenoides
destruyen las
bacterias que
el niño inhala.

Las amígdalas
destruyen las bacterias
tanto inhaladas como
deglutidas.

El timo es la glándula
encargada de madurar
a los linfocitos.

Los ganglios linfáticos
(localizados mayormente
en cuello, axilas e ingles)
procesan los linfocitos
y los almacenan.

El bazo, junto a la médula y
el timo, produce células blancas.

Los vasos linfáticos recogen linfa
de los tejidos y la transportan
al sistema circulatorio.

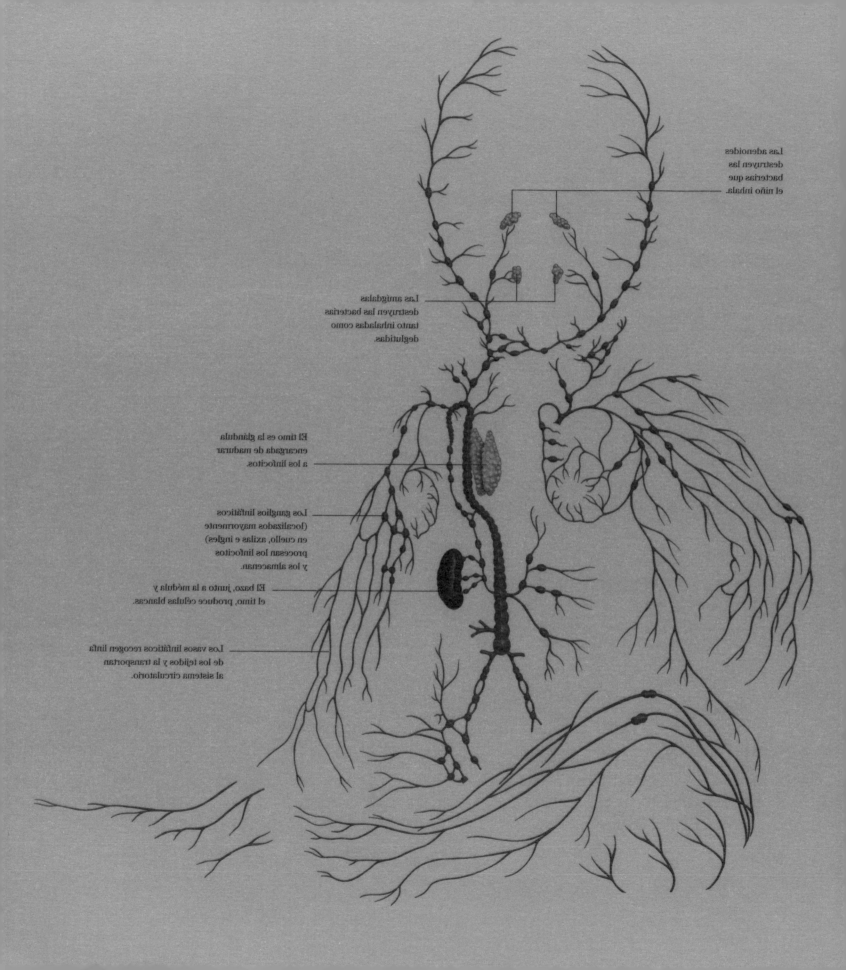

Las adenoides destruyen las bacterias que el niño inhala.

Las amígdalas destruyen las bacterias tanto inhaladas como deglutidas.

El timo es la glándula encargada de madurar a los linfocitos.

Los ganglios linfáticos (localizados mayormente en cuello, axilas e ingles) procesan los linfocitos y los almacenan.

El bazo, junto a la médula y el timo, produce células blancas.

Los vasos linfáticos recogen linfa de los tejidos y la transportan al sistema circulatorio.

Primeros mecanismos de defensa
Esta fotografía aumentada muestra un macrófago de glóbulos blancos que agranda los zarcillos para tragarse y destruir las bacterias (coloreado en rojo).

Las deyecciones

Eliminar residuos corporales en forma de heces y orina es tan importante como beber y comer. Desde el principio, el sistema digestivo está programado para conservar lo que necesita para estimular el crecimiento y deshacerse de la materia innecesaria. Durante meses, este proceso es incontrolado y exige mucha ayuda de los padres, que llegan a creer que estarán cambiando pañales eternamente.

Cómo funciona

El sistema digestivo consta de un tubo largo y musculado a través del cual se transporta la comida, desde la boca hasta el ano. La comida es transportada gracias a la contracción y relajación de los músculos y, si el sistema no es capaz, la saliva y los jugos gástricos colaboran con él. Las paredes del intestino absorben los nutrientes esenciales, como vitaminas, minerales, grasas, proteínas e hidratos de carbono, y eliminan los innecesarios. El hígado, el páncreas y la vesícula biliar producen los enzimas que ayudan a la absorción de estos nutrientes, que se distribuyen por el cuerpo a través del torrente sanguíneo. Al mismo tiempo, los riñones filtran la sangre y eliminan los residuos en forma de orina.

Primera defecación

El primer día, el recién nacido defeca por primera vez. Estas heces reciben el nombre de meconio. Apenas desprende olor, es de un color verdoso y consiste en residuos de los intestinos, una combinación de mucosidades de las glándulas del tracto digestivo y de células epiteliales desprendidas de las paredes del intestino.

Cuando el bebé empieza a excretar residuos lácteos de leche materna, el color del meconio se va aclarando hasta un marrón pálido. Las heces del bebé que se alimenta de leche materna son blandas y de color pálido. Aparecen varias veces al día, y pueden ser amarillas, amarillo verdosas o verdes. Estas diferencias de color indican que el sistema digestivo del bebé aún está desarrollándose.

Rutina diaria

El bebé suele defecar después de despertarse y media hora después de comer. Orina con más frecuencia, cada veinte minutos al nacer y cada hora a los seis meses de edad. Antes de controlar estas acciones, no es capaz de saber cuándo orina o defeca. Sin embargo, los padres pueden calcular aproximadamente cuándo va a ocurrir y anticiparse.

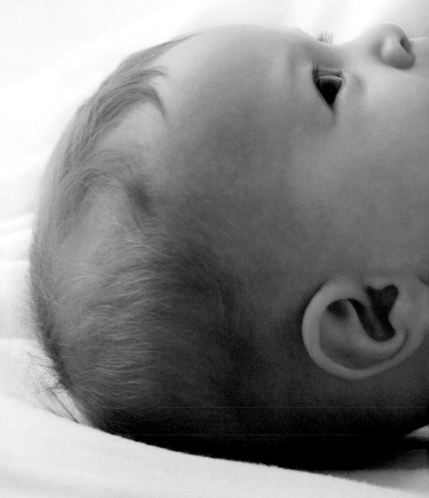

Sistema de filtro

Esta radiografía muestra cómo las arterias se bifurcan en una red de vasos sanguíneos en el riñón, lo que permite que el riñón filtre los residuos de la sangre y los expulse en forma de orina.

Control corporal

Cada vez que el bebé realiza un movimiento, ocurren dos cosas. El cerebro envía mensajes a los músculos, diciéndoles que deben moverse. Al mismo tiempo, el sistema de autocontrol corporal proporciona sujeción a esta actividad. El sistema nervioso autónomo se ocupa del control, y el somático, de los movimientos.

Sistema nervioso autónomo

Cuando el cuerpo descansa, conserva la energía. Cuando se activa, el cuerpo acude a las reservas de energía para que la tarea se lleve a cabo eficazmente. El sistema nervioso autónomo tiene que conservar el cuerpo en forma para mantener el nivel de actividad. Lo hace mediante dos fuerzas opuestas que podríamos denominar el freno y el acelerador. Cuando el freno está puesto, los elementos energéticos disminuyen y el cuerpo se relaja. Cuando se pisa el acelerador, todo se precipita repentinamente y el cuerpo se tensa para realizar los movimientos necesarios. El acelerador es el sistema nervioso simpático, y libera adrenalida al activarse. Al freno que aminora el ritmo de los movimientos lo controla el sistema parasimpático. Uno de estos sistemas siempre domina sobre el otro dependiendo de si el cuerpo está relajado (sistema parasimpático) o si está vigorosamente activo (simpático).

El sistema simpático

El sistema simpático asegura un movimiento eficaz de las siguientes formas: acelera el pulso bombeando más sangre por el cuerpo y elevando la tensión sanguínea; acelera la respiración, proporcionando así más oxígeno; controla la dilatación y la constricción de los distintos vasos sanguíneos y envía sangre a los músculos; incrementa el sudor como sistema de enfriamiento, evitando así que el movimiento en cuestión recaliente el cuerpo; asimismo, incrementa el sudor de las manos para facilitar el agarre en caso de que la acción sea violenta; impide la orina, y reduce las secreciones acuosas de las glándulas salivales y las lacrimales, con lo que reserva los líquidos corporales para tareas más urgentes.

El sistema parasimpático

El sistema parasimpático deshace estos cambios. Desacelera el corazón y facilita la tensión de los músculos del corazón. Se necesita menos oxígeno, así que los pulmones se relajan. La sangre vuelve a la piel y al sistema digestivo. El sudor se reduce drásticamente y las glándulas salivales y lacrimales se activan.

Glándulas suprarrenales

Existen diversos niveles de actividad corporal, desde una caminata tranquila hasta la respuesta a una amenaza violenta.

Cuando el cuerpo alcanza el nivel del pánico, las glándulas suprarrenales se ponen en marcha. Se encuentran encima de los riñones y tienen varias funciones, incluyendo la secreción de adrenalina cuando se siente miedo. Como resultado de esta secreción, el cuerpo se prepara para cualquier acción violenta, como pelear o huir. El bebé no puede realizar ninguna de ellas, pero por lo menos puede responder al miedo llorando y moviendo las extremidades.

Después del año de edad, ya puede correr, presa del pánico, hacia sus padres. El miedo prolongado que, por el motivo que sea, no se puede expresar en forma de una actividad vigorosa, como luchar o huir, puede provocar un estado de tensión extrema. El cuerpo está preparado para una actividad muscular violenta, pero no sucede nada. Si esto sucede con frecuencia, el sistema inmune se debilitará y, por lo tanto, el bebé será más propenso a enfermar.

La superficie corporal

La piel es el órgano más extenso del cuerpo, así que, indudablemente, es importante para el bienestar del bebé. No solo actúa como una capa protectora de los demás órganos, sino que también tiene un papel psicológico.

La magia del cariño

Al tener multitud de terminaciones nerviosas sensibles al tacto, la piel suele responder a todas las formas de contacto corporal. El abrazo de una madre, la suavidad de las prendas que se pone, las dulces caricias, los besos, los mimos y el baño son expresiones de amor táctil, el amor más ancestral.

Algunos estudios han demostrado que los adultos que no recibieron cariño cuando eran bebés son más agresivos que aquellos cuyas madres los acunaban y abrazaban. También han demostrado que las niñas son más sensibles al tacto que los niños; en promedio, las niñas con pocas horas de edad reaccionan a un suave soplo sobre su estómago y, cuando están destapadas, lloran más que los niños. Otras investigaciones han descubierto que el contacto corporal constante hace que los bebés lloren menos y que estén más sanos. Incluso se ha sugerido que los bebés que reciben más mimos son más inteligentes, ya que estas experiencias sensoriales ayudan a estimular el desarrollo cerebral.

Calidad de la piel

La piel del bebé es más fina que la del adulto, menos grasosa, menos pigmentada, menos sudorosa y menos resistente a las infecciones bacterianas. Un bebé tarda varios años en desarrollar estas características y, evidentemente, hasta entonces los padres deben protegerla. La capa más externa de la piel, la epidermis, no solo es fina, sino que también es frágil, pues las células todavía no están unidas. Esto significa que se pueden formar fácilmente ampollas e irritaciones.

La dermis, capa sobre la que descansa la epidermis, es cuatro veces más fina que la de un adulto, y contiene menos colágeno y fibras elásticas, lo que la hace todavía más frágil.

Actividad glandular

Aunque el recién nacido posee glándulas sudoríparas, el sistema nervioso que las controla y regula aún no está desarrollado. Como resultado, el bebé no puede utilizar esas glándulas cuando empieza a recalentarse. Por ello, el bebé corre riesgos si el clima es muy cálido. Las demás glándulas, como las sebáceas, que le proporcionan grasa a la piel, empiezan a activarse con el paso de los meses. Incluso entonces, su rendimiento está por debajo del de un adulto. Sin embargo, están lo suficientemente activas como para otorgarle al bebé un aroma personal, un aroma que es único en cada bebé y que la madre puede identificar (consultar «Lazos afectivos», página 31).

El cuidado de la piel

La piel del bebé es mucho más delicada, vulnerable y sensible que la del adulto, y por ello requiere un cuidado especial. Las irritaciones provocadas por el roce del pañal son muy comunes, y aparecen cuando los pañales mojados no se cambian a tiempo. El amoníaco de la orina irrita la piel e impide que la superficie de esta resista la infección. Esto empeora por el contacto de las bacterias que contienen las heces. Además, el roce de la piel con superficies húmedas causa escozor. Bañarse en agua templada, limpia a la vez que relaja y además ofrece momentos de intimidad táctil con la madre.

Comunicación

Llanto

Durante su primer año, antes de pronunciar palabra, el bebé solo sabe pedir ayuda mediante el llanto. Desde tiempos ancestrales, el llanto es sinónimo de alarma. El ser humano comparte este rasgo con otros animales, un rasgo que produce una respuesta parental inmediata. Al principio, los lloros no son un indicio específico: los padres saben que el bebé está triste, pero no saben por qué. Con el tiempo, los padres relacionan cada llanto con una razón.

Primer llanto

El bebé llora por primera vez inmediatamente después del parto, como resultado del cambio repentino de entorno. En vez de preocuparse, la mayoría de padres responden con una sonrisa de oreja a oreja, ya que así comprueban que los pulmones del bebé funcionan bien. Durante los tres primeros meses, el bebé llora con frecuencia; alrededor de las seis semanas, los lacrimales ya se han desarrollado y el bebé deja escapar las primeras lágrimas.

¿Qué hace llorar al bebé?

Existen siete razones que explican el llanto del bebé: dolor, incomodidad, hambre, soledad, exceso de estimulación, falta de estimulación o frustración. Una madre sensible distingue enseguida un llanto del otro.

El dolor, por lo general, produce unos lloros agudos y ensordecedores. El bebé no sabe qué pasa, no es capaz de distinguir entre una molestia y el dolor físico, y por ello necesita llamar la atención de los padres rápidamente. Generalmente, deja de llorar cuando lo acunan, y solamente continúa si el dolor persiste (consultar «Síntomas de enfermedad», página 95).

Un bebé llora por incomodidad cuando tiene el pañal sucio, siente frío o calor o está rozando alguna superficie áspera. A medida que esa incomodidad aumenta, los lloros son más insoportables. El llanto por hambre puede detectarse fácilmente por el ritmo y el momento en que ocurre; el llanto es alto y continuado, y solo se detiene para respirar. El llanto desconsolado, ocurre cuando el bebé se siente abandonado; solo quiere que lo abracen y ver un rostro familiar. Si está cansado, los lloros son muy quejosos, y si su desarrollo lo permite, es posible que se frote los ojos.

Lloros antes de dormir

Durante los primeros meses, el bebé se une mucho a su madre y empieza a llorar cuando lo separan de ella. Solo quiere estar acurrucado junto a ella, pero los preparativos para irse a dormir no lo permiten. Aunque la madre sabe que, tarde o temprano, volverá a cuidar a su bebé, el bebé no es consciente de ello. Si la madre hace caso omiso del llanto del bebé con mucha frecuencia, ello empezará a generar falta de confianza por parte del bebé. Teme que su madre no vuelva, y crea un sentimiento de inseguridad muy arraigado. Sin importar lo sofisticado que sea en su vida adulta, jamás confiará en sí mismo.

Mantener a la madre y al bebé cerca durante los primeros meses es solamente una estrategia para evitar este tipo de problemas. El bebé necesita aprender a dormirse solo, sin mimos ni abrazos, pero esto no significa que la madre esté completamente ausente. Si la cuna está en la habitación de los padres durante los primeros meses, el bebé sentirá que está cerca de su madre, sano y salvo. Cuando ya se ha acostumbrado, pueden trasladarlo a otra habitación. Con seis meses, esto es mucho menos traumático para él.

Niños y niñas que lloran

El llanto de frustración ocurre más tarde, cuando el bebé intenta con desespero alcanzar algo pero no lo consigue. Este tipo de lloro aumenta a medida que el bebé empieza a flexionar los músculos y explorar su entorno.

En casos extremos, esta situación puede provocar que el bebé se niegue a respirar hasta que se ponga azul, e incluso es posible que pierda la conciencia. Estos ataques suelen ocurrir durante una pataleta o un berrinche (consultar «Las pataletas del bebé», página 165).

Sonrisa

Una vez la madre y el bebé han creado un lazo emocional, entra en juego una nueva forma de comunicación. El llanto llama la atención de los padres, y ahora el bebé tiene que encontrar una forma de mantenerlos cerca. La evolución le ha proporcionado un arma especial, única en nuestra especie: la sonrisa. El bebé la utiliza a modo de recompensa hacia sus padres.

Una sonrisa única

El ser humano es el único primate que sonríe a sus padres. Lo hace porque, físicamente, es vulnerable. Un simio siempre está cerca de su madre porque se agarra de su piel. Los humanos no pueden hacerlo, así que deben recurrir a otras formas para mantener a su madre cerca: sonriendo. Las madres responden de forma innata a esta expresión facial. Es inevitable que sientan satisfacción cuando ven a su bebé sonreír. En un año, el bebé será capaz de balbucir con su madre y utilizar un sistema nuevo de comunicación, e incluso, entonces, seguirá sonriendo. La sonrisa es una característica humana que permanece toda la vida.

Instinto natural

Sonreír es innato. Uno puede imaginarse que el bebé, al ver a su madre sonreírle, imita esta expresión maternal. Sin embargo, algunas observaciones demuestran que los bebés no imitan. Los bebés que tienen el infortunio de nacer sordos o ciegos también sonríen cuando sus madres los abrazan. Lo que resulta inquietante de estos bebés es que no sonríen directamente a sus madres. Esto subraya una característica del bebé que sonríe a su madre: el contacto visual. Para sonreír, no se utiliza solamente la boca; para conseguir un impacto visual, el rostro del bebé debe girarse hacia el de su madre y mirarla intensamente mientras sonríe.

El bebé no sonríe *con* ella, sino *hacia* ella, lo que es una gran recompensa para la madre.

Tipos de sonrisa

El bebé muestra tres tipos de sonrisa: la refleja, la general y la específica. La refleja aparece el alrededor del tercer día y continúa durante el primer mes de vida. Es una sonrisa fugaz, solamente reconocible por padres expectantes. Un ejemplo habitual de la sonrisa refleja se da cuando el bebé experimenta un espasmo neural al acostarlo en la cuna mientras escucha la voz de su madre. También puede suceder después de una afluencia de energía en su sistema nervioso durante una sesión de cosquilleo. Aunque la sonrisa refleja produce sonrisas de vez en cuando, se trata de un reflejo muscular, y es posible que, en vez de sonreír, el bebé frunza el ceño.

A las cuatro semanas, el bebé ya expresa una sonrisa genuina. El rostro se ilumina y los ojos brillan. Cuando un adulto acerca su rostro al del bebé, este responde de este modo. En general, esta sonrisa la puede provocar un adulto. Gracias a su experiencia y expectación, el bebé aprendió a dar señales. Sin embargo, aún no es selectivo, de manera que todos los adultos, familiares y extraños, reciben una sonrisa encantadora. Alrededor de los seis meses, esto cambia. Ahora el bebé muestra una sonrisa selectiva y específica. El bebé ya no sonríe a extraños como antes, sino que los ignora por completo. El bebé ha aprendido a distinguir los rostros de sus familiares, y reserva su sonrisa exclusivamente para ellos. Al fin y al cabo, el sistema de comunicación infantil es personal.

La llegada del habla

Durante los dos primeros años, todos los bebés del mundo desarrollan una capacidad vocal. Aunque no hay consenso, se cree que existe una especie de «programa» innato que explica cómo el bebé adquiere el lenguaje con tal rapidez. Al parecer, su cerebro está programado para ello, un don que le ha concedido la evolución.

Balbuceos

Durante los seis primeros meses, todos los bebés empiezan a balbucir y a murmurar del mismo modo, de manera que no podemos saber si son europeos, africanos, hispanos o asiáticos. Esto también puede aplicarse a los niños sordos. Los padres pueden creer que les están enseñando estos sonidos, pero en realidad no es así. Los bebés pronunciarían los mismos sonidos sin la ayuda de sus padres, y es imposible distinguir entre los balbuceos de un bebé japonés, uno nigeriano o uno francés.

Sintonizarse

Después de los seis meses empieza una nueva etapa en la que los bebés adquieren sensibilidad sobre las características fonéticas de cada idioma. Algunas investigaciones han demostrado que, al final de su primer año, los bebés ya se han sintonizado con el idioma que hablan sus padres. En Francia se realizó una prueba en la que los adultos escuchaban una serie de grabaciones con balbuceos de bebés, algunos de ellos franceses, y otros extranjeros. Sorprendentemente, les resultó sencillo distinguir cuáles eran franceses.

Los primeros sonidos

El bebé posee la anotomía necesaria para crear sonidos, pero para que esta anatomía madure y pueda formar palabras de forma coherente debe pasar un año. Durante los primeros meses, solo es capaz de producir gruñidos, lloros y balbuceos.

Laringe

Al nacer, la laringe mide alrededor de 2 cm de largo y 2 cm de ancho, una tercera parte de su tamaño adulto. Está ubicada en la parte superior del cuello y, a medida que el bebé crece, esta desciende. Antes de que esto suceda, la laringe está justo debajo de la cavidad oral, en la faringe. El caso de los simios adultos es idéntico, lo cual explica por qué no pueden producir un repertorio de palabras, aunque su sistema nervioso estuviera conectado para ello.

Cuerdas vocales

Al nacer, las cuerdas vocales del bebé miden 4 mm de largo. Son membranas que se pliegan en la laringe donde reciben corrientes de aire. Cuando respiramos, los músculos de la laringe se relajan y la corriente de aire resulta insuficiente para hacer vibrar las cuerdas, con lo cual no se produce ningún sonido. Pero, si la exhalación es más cortante, los músculos de la laringe se contraen para reducir el tamaño de la apertura y, cuando se expulsa el aire, las cuerdas producen un sonido que se escapa por la boca: cuanto más rápido sea el movimiento del aire, más alto será el sonido, más pequeña la apertura y más agudo el tono.

En esta etapa no hay diferencia entre niños y niñas. Las diferencias sexuales empiezan a surgir en el tercer año, cuando las cuerdas vocales del niño comiencen a ser ligeramente más largas y gruesas que las de una niña. Al mismo tiempo, la laringe del niño es más grande, pero esta diferencia no se acentúa hasta la pubertad, cuando la voz del niño cambia y se hace más grave.

Lengua y labios

Los sonidos que se producen en la laringe y en las cuerdas vocales son bastante primitivos y, entre la laringe, la lengua y los labios, los definen hasta formar palabras específicas. La calidad de los sonidos producidos también depende de las cavidades bucales y nasales, de la garganta y del pecho. Son precisamente estas cavidades las que le proporcionan la calidad y la resonancia personal a cada voz.

Sonidos preverbales

La primera vez que el bebé ejercita sus cuerdas vocales, emite un llanto después del parto. Durante las primeras semanas, el llanto es la única respuesta con sonido que puede ofrecer, pero un padre atento no tarda en identificar los distintos tipos de llanto. Éstos varían dependiendo del problema que tenga el bebé (consultar «Llanto», página 107). Cada llanto tiene una tonalidad y un volumen diferentes, sobre todo al principio, antes de desarrollar el grito a pleno pulmón.

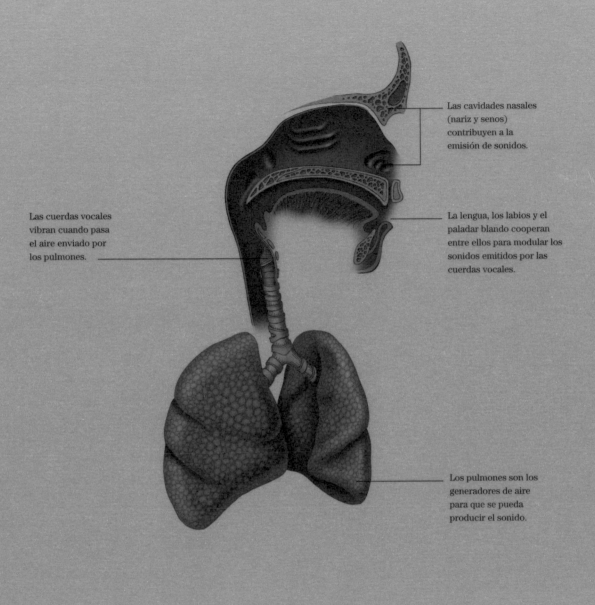

Las cavidades nasales
(nariz y senos)
contribuyen a la
emisión de sonidos.

La lengua, los labios y el
paladar blando cooperan
entre ellos para modular los
sonidos emitidos por las
cuerdas vocales.

Las cuerdas vocales
vibran cuando pasa
el aire enviado por
los pulmones.

Los pulmones son los
generadores de aire
para que se pueda
producir el sonido.

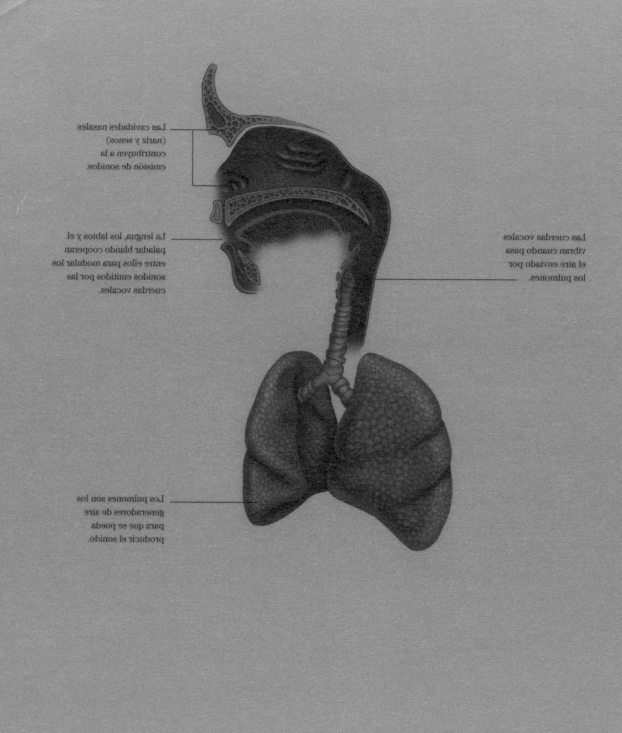

Desarrollo del habla

La necesidad del bebé de balbucir durante los primeros meses es innata; sin embargo, la emisión de un lenguaje hablado es algo que aprende por imitiación. El bebé que, de forma instintiva, pronuncia sonidos vocales a los tres meses, empieza voluntariamente a producir sonidos de dos sílabas a los siete meses, y aprende ciertas palabras a los ocho. A los diez meses, lanza su primera palabra, y al año su vocabulario incluye al menos tres palabras.

La construcción del vocabulario

Resulta sorprendente el ritmo con que el bebé desarrolla la capacidad lingüística. A los quince meses, el bebé sabe 19 palabras y, en vísperas de su segundo cumpleaños, es capaz de pronunciar entre 200 y 300. Con ellas, puede formar frases rudimentarias con verbos, pronombres y plurales. Como siempre, esto varía dependiendo del bebé. Una investigación con un grupo de niños de veinte meses descubrió que unos ya habían aprendido unas 350 palabras, mientras que otros solo habían aprendido seis.

Balbuceo

Muchos padres adoptan un tono agudo y balbucen cuando intentan conversar con sus bebés. Los expertos lo denominan *parentese*. Es un estilo remarcado, con un sonsonete al hablar que alarga los sonidos vocálicos mientras los padres exageran ciertas expresiones faciales. Las frases son cortas, y los padres tienden a hablar lentamente, repitiendo una misma frase una y otra vez. Todos los adultos lo hacen, sin importar su edad o la relación que tengan con su hijo.

Aunque este *parentese* es beneficioso para el bebé, pues lo ayuda a reconocer sonidos y palabras familiares, no resulta muy útil cuando el bebé alcanza su primer año de edad. Durante esta etapa, el bebé necesita imitar a sus padres. Si se utiliza este modo de habla, el proceso de aprendizaje se verá reducido. En cambio, los padres que le hablan al niño con voz normal proporcionan una variedad de sonidos más estimulantes para imitar.

Orígenes del habla

Al parecer, el bebé es capaz, incluso durante el primer mes de vida, de realizar distintos tipos de «gruñidos» que reflejan su humor. Uno de ellos indica incomodidad, otro cansancio, hambre y, otro, gases. Se ha demostrado que estos gruñidos, al igual que los primeros intentos de crear palabras sencillas como «mama» y «papa», no son privativos de una raza, sino universales (consultar «La llegada del habla», página 110). Por eso, se ha insinuado que estos sonidos, comunes en toda la humanidad, representan un tipo de lenguaje original que utilizaban nuestros ancestros antes de que la raza humana se separara en tribus y desarrollara diferentes lenguajes.

Las grabaciones de balbuceos de bebés indican que existen cuatro patrones fonológicos. Cada uno consiste en una combinación particular de consonante-vocal y son comunes en culturas cuyos lenguajes no guardan ningún parecido entre ellos, como el sueco, el portugués, el coreano, el japonés, el francés y el alemán. Seguramente hubo un tiempo en el que nuestros ancestros solamente utilizaban este tipo de sonidos. El siguiente paso habría sido repetir estos sonidos de una forma rítmica («babababababa» o «gagagagagaga»). Así, creaban unidades más largas, al igual que lo hacen los bebés cuando intentan pronunciar sus primeras palabras. Aprender a hablar una lengua es un procedimiento muy complejo, ya que hay necesidad de coordinar alrededor de setenta músculos. Por ello, con los bebés se debe tener mucha paciencia mientras aprenden a hacerlo.

Escuchar y balbucir

La comunicación oral incluye dos elementos distintos: escuchar los sonidos y reproducirlos. Para el bebé siempre es más fácil escucharlos. Incluso es capaz de percibir palabras cuando está en el útero. Esto significa que responde a las voces de sus padres desde el día en el que nace, aunque deben pasar varios meses antes de que empiece a balbucir sonidos.

Escuchar

Cuando el feto tiene seis o siete meses, es capaz de percibir sonidos del mundo exterior. Algunas investigaciones han demostrado que el pulso del bebé se acelera cuando escucha un ruido poco familiar. Durante cada repetición, el pulso disminuye hasta que, al final, no se producen cambios perceptibles. El bebé se ha acostumbrado a ese sonido en particular. Si se introduce un nuevo sonido, el pulso vuelve a acelerarse de inmediato, lo cual demuestra que el feto puede distinguirlos. Otras investigaciones han descubierto que el feto puede diferenciar dos palabras muy parecidas, y que su capacidad de escucha está más avanzada que la del habla.

Esto demuestra que, al nacer, un bebé ya distingue la voz materna de las demás. Experimentos similares realizados con música indican que puede diferenciar un estilo musical de otro, e incluso distinguir los ritmos de las canciones de cuna. Evidentemente, no hay pruebas que demuestren que el bebé puede entender el contenido de las composiciones musicales. Lo que el bebé detecta son patrones de sonido diferentes, pero incluso esto es sorprendente y explica por qué a los bebés les encanta producir sonidos cuando descubren cómo hacerlo.

La etapa balbuceante

Los sonidos que puede producir el bebé pasan por una serie de etapas durante el primer año. Después, se sumerge en la empresa de crear palabras. Con solo uno o dos meses, el bebé descubre que puede balbucir empujando la lengua ligeramente por los labios y cerrándolos. Así, él crea una pequeña burbuja de saliva. En ese instante, no se produce sonido alguno, pero es el primer paso del largo camino hacia la fluidez verbal. Al realizar esta acción, el bebé exagera las acciones de vocalizar y coordina la respiración con los movimientos de la lengua y labios. Es una combinación fundamental que servirá como base para el habla.

La etapa susurrante

A los tres meses, el balbuceo se hace sonoro. A medida que pasan las semanas, este descubrimiento, la capacidad de producir sonidos, fascina al bebé, y el hecho de balbucir se convierte en una obsesión. Al principio, solo produce gruñidos y ruidos poco sofisticados, pero enseguida pronuncia las primeras vocales abiertas. Entonces, el bebé experimenta con «oooohs» y «aaaahs», y los padres no pueden evitar entrar en el juego del «cucuuuu» y «guuu guuu».

La fase de balbuceo avanzado

El balbuceo alcanza su *crescendo* a la edad de seis meses. Es tan divertido que incluso cuando el bebé está completamente solo, sigue farfullando felizmente. Ahora las consonantes acompañan las vocales, y el bebé pronuncia sonidos monosilábicos. Sin embargo, aún no existe relación alguna entre los sonidos y un objeto o persona en particular. Son «sonidos por el amor a los sonidos», sin referencia ni significado específico, como los que emite un cantante cuando practica las escalas sin interpretar una canción.

Primeras palabras

La primera palabra con significado que produce un bebé es «mamá» o «papá», y está dirigida a los padres. Es un momento de alegría plena y, en general, a todos los padres les encanta presumir delante de sus amigos sobre el gran avance de su bebé. Pero curiosamente, cuando el bebé observe a un amigo de su padre que se inclina hacia él, también es posible que lo llame «papá».

Esto solo refleja que, de momento, el bebé solo es capaz de pronunciar ciertas palabras. También es posible que llame «papá» a su madre, y «mamá» a su padre, pero poco a poco empieza a relacionar sonidos específicos con individuos específicos. En el transcurso de esta etapa, el bebé cruza un umbral importante.

La fase preverbal

Antes de pronunciar palabras con significado específico, hay una fase final a los siete meses de edad que consiste en producir sonidos bisilábicos. Normalmente, la primera sílaba es la misma que la segunda, como «mamam», «papap», o «bubu». El bebé está explorando, y no solo con sonidos dobles, sino con variaciones en el volumen, el tono y la velocidad. Es como una pequeña orquesta que intentase interpretar un gran concierto. Aún no puede tocar música, pero al menos puede ensayar con los instrumentos. De forma ocasional, algunos balbuceos pueden parecer palabras, pero en ese momento carecen de significado. La siguiente etapa, que conlleva la emoción de poder comunicarse con los padres, está a punto de llegar. Cuando finalmente llega, el bebé deja atrás la felicidad del balbuceo y la sustituye por la gran empresa de aprender un vocabulario funcional.

Tono de voz

La comunicación oral va más allá del intercambio verbal. También implica tonalidad. Un bebé distingue dos «tonos de voz», meloso y áspero, y ciertos volúmenes. Las voces ásperas y muy altas le desagradan, incluso cuando las palabras que oye son idénticas que las pronunciadas por una voz melosa. Si un adulto le dice «te quiero» a un bebé con voz amable y cariñosa, el bebé disfrutará estas palabras. Si el mismo adulto le grita «te quiero» con tono áspero, el bebé reaccionará negativamente. Por ello, cuando un bebé empieza a adquirir vocabulario, es fundamental saber que cada palabra conlleva un «modificador» que puede cambiar drásticamente su significado.

Primer vocabulario

Cuando el bebé ya pronuncia palabras con significado determinado, resulta fascinante ver cuáles pronuncia primero. En general siempre son palabras monosílabas o bisílabas. Durante esta fase, el bebé es incapaz de formar palabras largas. Además, también ignora las palabras cortas relacionadas con algo abstracto e intangible. La primera «frase» consiste en un nombre, y los nombres siempre apuntan a algo o alguien que, en ese momento, está a la vista. Por todos es sabido que las primeras palabras con significado son mamá, papá, no, tete, nene, agua, boca. A medida que aprende más palabras, empieza a incluir verbos, con lo que crea frases de dos palabras. Al igual que antes, la comprensión lingüística está más avanzada que la expresión. Si la madre le pregunta «¿Dónde está el gatito?», el bebé mirará a su alrededor intentando encontrar al gato, aunque aún no sea capaz de pronunciar una frase de cuatro palabras. El bebé intenta convertir los balbuceos en palabras comprensibles, lo que lo ayuda a avanzar.

Comprensión

Durante el segundo año de vida, el niño hace una transición, pues adquiere la capacidad de hablarles a sus padres, de hacer afirmaciones y de formular y responder preguntas. Sin apenas esfuerzo, aprende que la conversación incluye una secuencia de habla-escucha-habla-escucha y empieza a entender la necesidad de las secuencias de palabras.

Aprender gramática

El uso de frases que incluyan un nombre y un verbo supone muchas semanas de trabajo. Con sustantivos como mamá y papá, galleta, jugo, osito, y con verbos como ir y venir, o dar y tomar, el bebé ahora puede formar muchas frases sobre el presente y el mundo que lo rodea. También puede convertir estas frases en preguntas cambiando el tono. Si la frase es «Mamá se va», el bebé baja el tono en la segunda palabra. Si

es «¿Mamá se va?», entonces sube el tono de la segunda palabra.

Construcción de frases

El siguiente paso es añadir más palabras a su conversación. A medida que se acerca a su segundo cumpleaños, el niño empieza a expandir su vocabulario y a añadir más términos a sus frases de dos palabras. A los dos años, será capaz de

construir oraciones con tres o cuatro palabras. Así, «¿Mamá se va?» se convertirá en «¿Dónde mamá se va?». El bebé se refiere a sí mismo como «Mí», como en «Mí quiere jugo». Ahora el bebé está en el umbral de una verdadera conversación. Durante el siguiente año, aparecerá la gramática, pero no porque se le enseñe, sino porque los seres humanos tienen una tendencia innata a desarrollar capacidades lingüísticas.

El arte del engaño

Una de las capacidades verbales que adquiere el bebé durante su segundo año es la capacidad de mentir. De forma deliberada, se propone engañar a sus padres. Por ejemplo, si los padres están ocupados y el niño está aburrido, es capaz de fingir un problema o herida para llamar la atención y reclamar un abrazo y un beso. Esta estrategia es fácil de entender, incluso cuando el bebé tiene solo 18 meses. Lo que ocurre es que el bebé descubre que si siente angustia, sus padres dejarán lo que están haciendo para irse con él. Almacena esta sensación en la memoria, de manera que la siguiente vez que necesite cariño, recurrirá enseguida a la misma estrategia.

Investigaciones recientes revelan que un bebé de seis meses puede utilizar esta estrategia para llamar la atención. Aunque no sabe hablar, es capaz de controlar el llanto para atraer a sus padres. Lo más interesante de esta acción meditada es que refleja la comprensión por parte del bebé acerca de la relación que tiene con sus padres. Demuestra que, desde una edad muy temprana, el bebé entiende que sus acciones tienen un efecto interactivo.

Juegos de palabras

Un niño de dos años es como una máquina de aprender palabras, ya que su vocabulario crece a pasos agigantados. Todos los días incorpora y entiende nuevas palabras, pero, ¿de dónde las adquiere? Algunos apuntan a la televisión; pero, de hecho, esta tiene un impacto limitado. Es más significativo el intercambio de palabras y de frases con los padres, los hermanos o las niñeras. Cuantas más personas conversen pacientemente con el bebé, más fluido será su lenguaje hablado.

Palabras familiares

Cuando el bebé aprende algunas palabras, utiliza con más frecuencia aquellas que más escucha, y avanza gracias a la repetición. Esto le ayuda a aprender día a día, y a asociar ciertas palabras con objetos o acciones. Si se utiliza un juguete, como un osito de peluche, se pueden recrear las rutinas diarias. «El osito se sienta. El osito se levanta. ¿Dónde está el osito? El osito está escondido. El osito ya está aquí». Cualquier bebé disfruta con estas historias. Además, incrementa sus conocimientos mientras se divierte.

Canciones infantiles

Una de las primeras formas de contar historias es mediante una canción infantil. No es importante que el bebé entienda todas las palabras de la canción, aunque suele entender una o dos. Lo más importante es que la armonía tenga un ritmo verbal y que incluya ciertas acciones. Cada vez que el bebé escuche la canción, se anticipará, realizará las acciones y entenderá la relación entre estas y las palabras de la canción.

Leer cuentos

Uno de los rituales más bonitos de la infancia es escuchar un cuento antes de irse a dormir. Al principio, los cuentos son repetitivos, como las canciones infantiles. Al reconocer una frase en el cuento, el bebé siente gran alegría. ¿Quién ha estado durmiendo en mi cama?, del cuento *Ricitos de Oro y los tres ositos*, siempre le provoca una gran emoción al niño. Es un error creer que contar o leer cuentos es algo «anticuado». Es posible que el bebé no entienda todas las palabras, pero presta tanta atención que, sin darse cuenta, está aprendiendo el ritmo y el estilo lingüísticos.

El poder de la invención

Muchos padres solo utilizan cuentos para dormir, pero, a medida que pasa el tiempo, es aconsejable relatar historias inventadas sobre su juguete favorito. Si le encanta un elefante de peluche e insiste en dormir con él, los padres pueden inventarse aventuras que incluyan este elefante. También pueden introducir elementos familiares. El elefante siempre está buscando agua, y esta búsqueda lo lleva a una serie de aventuras, cada una diferente. Al introducir nuevos elementos, aumenta el vocabulario del bebé. Estas historietas inventadas no tienen por qué ser grandes obras literarias. Cuanto más sencillas, mejor, y todos los padres pueden idearlas con el mínimo esfuerzo.

Cómo aprende
el bebé

Inteligencia

La inteligencia se define como la capacidad de resolver problemas a partir de experiencias pasadas. Así pues, dado que el bebé apenas acumula experiencias en este mundo, no puede decirse que sea un ser inteligente en el sentido estricto del término. Sin embargo, es listo y receptivo, y ansía aprender. Equipado con un cerebro con diez mil millones de neuronas, el bebé tiene el potencial necesario para adquirir un alto nivel de inteligencia.

El proceso de aprendizaje

Todos los días, todas las semanas, el bebé aprende algo nuevo, y almacena esta información en su cabeza. A medida que su cuerpo se hace más resistente, su cerebro se programa de manera que, cuando es capaz de caminar y explorar el mundo que lo rodea, ya tiene las bases para almacenar conocimientos. Sin embargo, aún no hay mucho que aprender, y el cerebro tarda varios años en acumular las experiencias suficientes que le permitan al bebé enfrentarse al mundo como un ser adulto.

El tener un buen comienzo, una infancia llena de experiencias ricas y variadas, siempre ayuda. Desde el nacimiento, el bebé posee todo un abanico de capacidades sensoriales: el oído, la visión, el tacto, el gusto, el olfato, el equilibrio y la temperatura. Todas ellas le proporcionan diversas sensaciones. Es posible que no haya alcanzado la etapa en la que pueda actuar sobre estas sensaciones, ya que su cuerpo se desarrolla con lentitud y es incapaz de llevar a cabo todas las instrucciones que quisiera. Esto no significa que sus experiencias carezcan de valor; sencillamente, no sabe cómo reaccionar ante las mismas. Es probable que no sean recuerdos específicos que el bebé pueda revivir más adelante, pero todas ellas están integradas profundamente en la red de células que conforman su cerebro aún joven.

Neuronas

Por todos es sabido que el cerebro de un niño está mucho más ocupado que el de un adulto. A medida que crece, las neuronas son como papel secante, que absorben toda la información que parezca útil. Para organizar esta información, las neuronas tienen que comunicarse entre ellas. Este proceso se realiza mediante conexiones denominadas sinapsis. El cerebro del recién nacido contiene alrededor de 2.500 sinapsis ligadas a cada una de las diez mil millones de neuronas; en el caso de un niño de dos años, esta cifra aumenta a 15.000 sinapsis por neurona, más de las que se producen en el cerebro adulto. La razón estriba en que, a medida que pasa el tiempo, muchas de estas conexiones se pierden. Las más utilizadas se refuerzan, y las menos utilizadas se van debilitando, hasta que al final desaparecen.

Durante esta fase «de papel secante», el bebé lo absorbe todo, pero, después, el cerebro selecciona la información.

La importancia del entorno

Aunque los factores genéticos son fundamentales para que el bebé desarrolle un nivel alto de inteligencia, al parecer un entorno rico y variado durante la infancia también influye en un niño que pasa sus primeros años en un mundo estéril.

Cuantas más conversaciones, música, emoción visual, integración social, estimulación mental y actividad física, más posibilidades tendrá de convertirse en un adulto animado, inteligente, sensible y responsable. Y si la vida cotidiana del bebé es juguetona y exploradora, es más probable que sea un adulto imaginativo y creativo.

El cerebro

Si pudiéramos observar el interior del cráneo del bebé, veríamos el cerebro más delgado del mundo. El encéfalo tiene tres regiones principales: el prosencéfalo, el mesencéfalo y el romboencéfalo. La parte más grande del encéfalo es el cerebro, cuya superficie se denomina corteza cerebral. El mesencéfalo está unos centímetros por encima del tallo cerebral, el camino por el que circula la información. Por último, el romboencéfalo comprende el cerebelo, el puente de Varolio y la médula.

Encéfalo

El encéfalo está dividido en dos hemisferios. Gracias a la presencia de pliegues y arrugas, es posible que la superficie del encéfalo quepa en un espacio reducido del cráneo. La capa que cubre el encéfalo, la corteza cerebral, está compuesta por más de 8.000 millones de células nerviosas unidas por 64.000 millones de células gliales. Es precisamente la corteza cerebral la que organiza la información y le dice al bebé lo que ve, oye, imagina y recuerda. Entre los pliegues de los hemisferios cerebrales se hallan unas cisuras más profundas que crean cuatro lóbulos.

Lóbulos frontales

Los lóbulos frontales están debajo de la frente. Son la joya de la corona del bebé. Son los más recientes, en términos de evolución del cerebro humano, y los más grandes y complejos de los cuatro. Aquí descansan la inteligencia del bebé, su personalidad, su creatividad y todas las formas de actividad mental. Los lóbulos frontales también están relacionados con el control de los movimientos y el habla.

Lóbulos parietales, occipitales y temporales

En la parte superior del cerebro, justo detrás de los lóbulos frontales, están los parietales, relacionados con las sensaciones del tacto, la temperatura, la presión y el dolor. También se ocupan de los mensajes enviados desde el interior del cuerpo. Los lóbulos occipitales que forman la región posterior del cerebro del bebé se ocupan de detectar e interpretar información visual. En cada lado del cerebro hay un lóbulo temporal que se encarga de aspectos como la percepción, la música, el miedo, el sentido de identidad o la memoria.

Hemisferios derecho e izquierdo

El hemisferio izquierdo está especializado en la lógica. Se encarga de las matemáticas y la información histórica. El pensamiento analítico también se incluye aquí. El hemisferio derecho es la parte artística, creativa e imaginativa, y alberga el pensamiento intuitivo. Ambos hemisferios están conectados por el cuerpo calloso, una banda de fibras nerviosas.

El tálamo y el hipotálamo

El tálamo es una pequeña zona del tamaño de una ciruela situada en el centro del cerebro. Actúa como una estación repetidora y se encarga de transferir la información del cuerpo al cerebro, y del cerebro a cada una de las partes que lo conforman. Toda la información sensorial, excepto la del olfato, pasa por esta parte del cerebro. Debajo del tálamo se encuentra el hipotálamo, un regulador que se ocupa de los cambios de humor y la motivación, con el sueño, el hambre, la sed, el tono cardíaco, la presión sanguínea y la excitación sexual. Controla las actividades de la glándula pituitaria y el sistema hormonal A su alrededor está el sistema límbico, que controla las emociones.

Cerebelo

Por debajo del cerebro y en la parte más posterior, está el cerebelo, la parte del romboencéfalo que se ocupa de controlar la postura corporal, el equilibrio y el movimiento. Durante los dos primeros años de vida, el cerebelo crece con tal rapidez que, a los veinticuatro meses, ya ha alcanzado su tamaño adulto. Sin este rápido crecimiento, el bebé no podría dominar el arte del equilibrio, ni caminar o correr. Controla la respiración y la circulación sanguínea.

El lóbulo parietal se encarga de la percepción del tacto, temperatura, presión y dolor, así como de las sensaciones internas del cuerpo y el proceso visual-espacial.

El lóbulo frontal está asociado a la inteligencia, personalidad, creatividad, control voluntario de los movimientos y del lenguaje.

Los lóbulos temporales son los encargados de la audición, percepción musical, miedos, identidad y de la memoria.

Los occipitales detectan e interpretan la información visual.

El cerebelo, parte del cerebro, controla la postura, el balance del cuerpo y el movimiento.

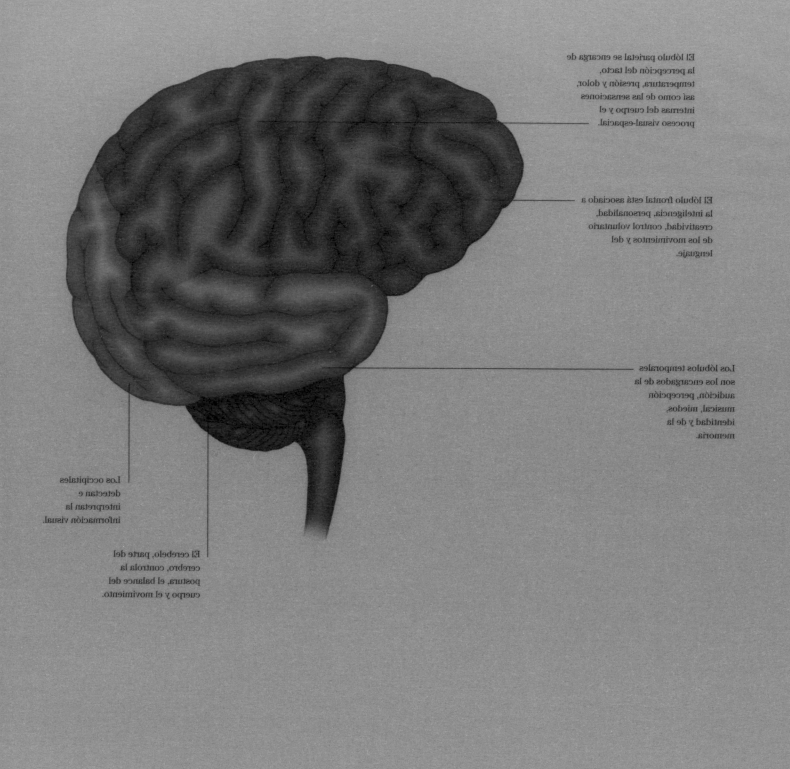

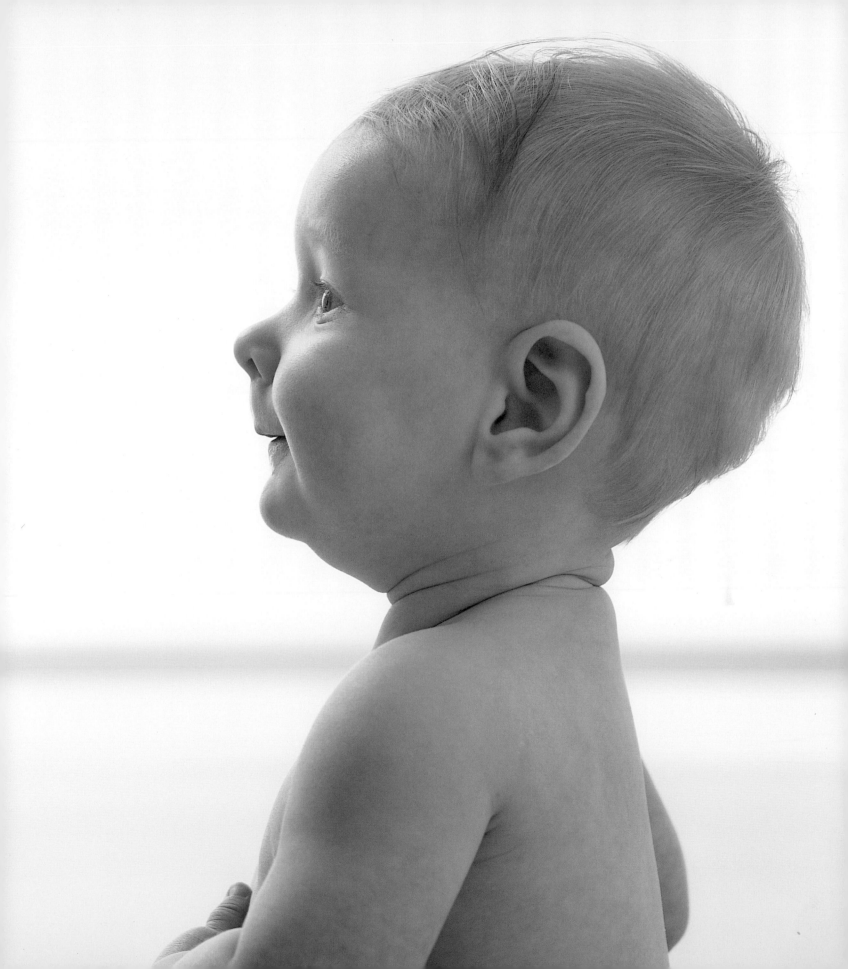

Entorno de aprendizaje

¿Cuál es el entorno de aprendizaje ideal para el bebé? ¿Cómo fueron los dos primeros años de Leonardo da Vinci o de Alejandro Magno? ¿Cómo estaban programados sus cerebros para que adquirieran todos esos logros durante la edad adulta? ¿Qué hay que hacer para animar a los bebés a darle un buen uso a sus cerebros?

Estimulación

Desde los primeros días, cuando está recostado en la cuna observando el techo, el bebé es consciente de las formas, colores y sonidos que lo rodean. Sus oídos son demasiado sensibles para tolerar ruidos discordantes, pero, en cambio, disfruta de la música agradable, lo cual le proporciona la experiencia necesaria para distinguir ritmos y sonidos. Las siluetas de colores que flotan por encima en el ambiente lo ayudan a apreciar diseños oscilantes. Cuando uno de los padres lo tiene entre sus brazos, lo abraza, le da mimos y lo balancea en el aire, el bebé aprende el sentido del equilibrio.

Más tarde, cuando ya ha adquirido la capacidad de movilidad corporal, el bebé puede influir en la estimulación que alcanza. Al explorar el mundo que lo rodea, puede ponerse en situaciones en las que los estímulos estén presentes.

Amor por lo nuevo

Todos los bebés humanos nacen con un gusto por la novedad, o «neofília», el amor por lo nuevo. Está más arraigado en los humanos que en las demás especies. Con un entorno rico, variado y acogedor, cualquier bebé puede pasarse horas y horas probando cosas nuevas y explorando diferentes posibilidades mientras alimenta el cerebro con una amplia variedad de sensaciones y experiencias. Si disfruta de este tipo de actividades, estas serán esenciales para su existencia. Si los padres lo recompensan por su «neofília», esta búsqueda por la novedad, al final formará parte de su personalidad y perdurará toda la vida.

Temor por lo nuevo

Los padres deben saber diferenciar entre proteger al bebé de los peligros y permitirle descubrir cosas nuevas. Lo contrario de la neofilia es la «neofobia». Si castigamos o asustamos al bebé por explorar algo nuevo, es probable que se convierta en «neofóbico». Esto significa, literalmente, que el bebé temerá a lo nuevo. Un accidente o un trauma desagradable pueden impedir que el bebé quiera jugar o explorar nuevamente. Por ejemplo, los bebés siempre tratan al perro o al gato como una especie de juguete suave y, de una manera inocente, pueden hacerle daño. Si la mascota responde, este ataque inesperado puede provocarles un miedo duradero a los perros o gatos.

Una experiencia como esta puede hacer que el bebé deje de jugar en el entorno específico en el que ocurrió el incidente, o que rechace entornos o situaciones similares. En los casos más extremos, incluso puede reducir la alegría del bebé en cualquier situación, ya que este ha desarrollado una respuesta neofóbica a cualquier estímulo nuevo, lo cual puede reducir su capacidad de aprendizaje. De este modo, el entorno de aprendizaje también puede resultar negativo.

Juegos

Los seres humanos somos los animales más juguetones del planeta. Jugar es fundamental para nuestro aprendizaje y perdura incluso durante la etapa adulta. La única diferencia estriba en que los nombres de los juegos cambian: poesía, literatura, música, arte, teatro, investigación científica, atletismo o deporte. Todos estos logros tienen sus orígenes en juegos de niños y, por lo tanto, es un tema que merece atención.

Patrón de juego

Deje a un bebé en una habitación llena de juguetes y observe qué ocurre. Al cabo de un rato, el bebé mostrará un patrón de juego. Mientras juega, se centra en un juguete en particular, lo examina y pone a prueba sus posibilidades. Después empieza a jugar con él, lo golpea, separa las piezas, vuelve a unirlas, lo lanza de un lado para otro y así sucesivamente. Después de un rato, se cansa del juguete y escoge otro, con el que repite los mismos experimentos. Hace lo mismo con cada uno de los juguetes. Al cabo de un tiempo, se detiene, y escoge otra vez un juguete anterior para repetir la experiencia.

Principios del juego

En esta etapa empiezan a surgir varios principios de juego. El primero es la emoción de la neofilia, el amor por lo nuevo (consultar «Entorno de aprendizaje», página 130). Un juguete nuevo tiene una magia especial que atrae al bebé de inmediato. Este es el principio de novedad y, en el caso de los seres humanos, es sumamente importante, pues alimenta nuestra curiosidad y nos hace explorar nuevas experiencias. Al fin y al cabo, es lo que nos convierte en seres creativos.

Estos principios pueden aplicarse a todo tipo de juegos, incluidos los sociales, como el escondite; o acciones atléticas, como saltar, dar vueltas o caerse sobre una superficie blanda; o acciones deportivas, como patear una pelota, o juegos creativos, como dibujar y pintar.

Preferencias de juegos

Resulta intrigante observar qué juguetes o juegos prefiere, y cuáles ignora. Estas preferencias nos dicen algo sobre las futuras tendencias e intereses del bebé. ¿Es más físico, más musical, más analítico, más fantasioso, más caótico o más organizado? ¿Prefiere separar el juguete en piezas o unirlas? ¿Sus acciones son precisas y prudentes o descontroladas? Y, una vez establecidas estas tendencias ¿perduran a lo largo de los años e influyen en su vida adulta?

Primero, jugar

Los bebés juegan antes de ser capaces de coordinar movimientos porque, por ejemplo, el sonido de un sonajero o los colores brillantes de un teléfono móvil les llaman la atención (consultar «Primeros juegos», página 136). El bebé puede jugar incluso cuando es físicamente pasivo pero mentalmente activo. Disfruta con la emoción de movimientos corporales poco habituales, como el balanceo en el aire. Más tarde, descubrirá la alegría de saltar en trampolines, trasladando estas emociones vertiginosas a otro nivel.

Exploración de objetos

Cuando el bebé ya puede utilizar las manos para tocar y agarrar los objetos que tiene alrededor, se deja llevar por la curiosidad innata de explorar el mundo. Al principio, descubre nuevas sensaciones: caliente y frío, blando y duro, húmedo y seco, etc. Después, gradualmente, todas estas experiencias se acumulan y el bebé aprende más cosas acerca de objetos específicos y su funcionamiento. Todo ello forma parte de un proceso de aprendizaje complejo que pasa por una serie de etapas.

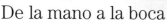

De la mano a la boca

Cuando el bebé ya puede coordinar acciones con las manos, se llevará a la boca cualquier objeto que tenga al alcance, para conocerlo. Esto sucede porque la boca del bebé está más desarrollada que cualquier otra parte de su cuerpo, básicamente debido a la necesidad de ingerir alimentos: por ello, el bebé se introduce cualquier objeto en ella de manera instintiva. Esta etapa dura varios meses, y puede convertirse en todo un peligro. La curiosidad del bebé es tal que, cuando ya ha aprendido a gatear, enseguida se dirige con cierta rapidez a lugares en los que pueda buscar algún objeto atractivo que agarrar y llevarse a la boca. Todos los hogares están repletos de pequeños objetos que pueden hacerle daño al bebé. Pueden ser más afilados de lo que parece, como los cortaúñas; o tan pequeños que se los puede tragar; o pueden contener sustancias químicas, como pastillas o productos de limpieza. Incluso juguetes que pueden parecer inofensivos, como los objetos de plástico, son susceptibles de que el bebé los mastique o succione, lo cual puede ser peligroso si los objetos llevan mucho tiempo en el suelo acumulando polvo.

Comprensión de los objetos

Así como el bebé se lleva objetos a la boca, también los sacude, los golpea y los lanza: aprende qué son la ligereza y la pesadez, la suavidad y la dureza, y las demás propiedades físicas de los objetos que encuentra; descubre cómo la forma afecta al movimiento, cómo un objeto cabe dentro de otro y cómo puede provocar diferentes ruidos cuando interactúa con ellos. Los conocimientos que adquiere de este modo lo conducen a entender varias disciplinas, desde la geometría y las matemáticas a la arquitectura y el atletismo.

Permanencia del objeto

Uno de los avances más significativos de la capacidad del bebé de entender los objetos que lo rodean es descubrir su permanencia. En primer lugar, a los seis meses de edad,

aprende que cada objeto es único. Antes, siempre que veía un pájaro sobre un árbol, asumía que se trataba del mismo pájaro. Ahora, sabe que cada pájaro es diferente.

A partir de aquí, el bebé empieza a entender gradualmente que un objeto no deja de existir cuando lo pierde de vista. El juego de «¿Dónde está el bebé?» es un buen ejemplo. Es uno de los juegos favoritos de los bebés. Consiste en que uno de los padres se esconde durante un momento y después lo sorprende. Entre los tres y los seis meses, el bebé aprende a esperar que el padre asome la cabeza de detrás de una puerta o un cojín, pero hasta que no cumple los nueve meses, no sabe que la cabeza de su padre aún está detrás de la puerta, aunque él no pueda verla. Lo mismo ocurre cuando una pelota se cuela debajo del sofá. Esta etapa es fundamental para el aprendizaje del bebé.

Primeros juegos

Al bebé le encanta jugar, aunque sea incapaz de realizar acciones coordinadas. Acostado en la cuna, el bebé responde maravillado al móvil colgante que captura la luz mientras gira sobre su cabeza. Si además el móvil produce un sonido tintineante, resultará más atractivo. El bebé agita los brazos y las piernas durante este espectáculo visual, como si quisiera alcanzar y agarrar este nuevo objeto.

Los juguetes son fundamentales en la vida del bebé, ya que ayudan a estimular sus exploraciones (consultar «Exploración de objetos», página 134). El bebé humano está programado genéticamente para ser curioso e investigar el mundo que lo rodea. Si el entorno es aburrido, este proceso se ralentizará.

Gran recompensa

A medida que el bebé crece, prefiere entretenerse con juguetes que le proporcionan un sentido de poder. El control muscular crece día a día, de manera que un juguete que pueda controlar siempre será más atractivo.

Por ejemplo, al patear una pelota sólida, esta apenas se mueve. Sin embargo, cuando golpea con la misma fuerza un globo del mismo tamaño, sale disparado por el aire. El bebé realiza la misma acción, pero la reacción del globo es más gratificante, de modo que la recompensa por el esfuerzo del bebé es mayor.

Cualquier objeto que proporcione una gran recompensa le otorga al bebé un sentido de poder.

Otro buen ejemplo es la pelota. Si el bebé lanza un bloque de madera sobre la alfombra, este no llegará muy lejos. Sin embargo, si hace lo mismo con una pelota, esta llegará más lejos.

Del mismo modo, un juguete con ruedas se mueve más fácilmente y, por lo tanto, resultará más atractivo que otro objeto que el bebé tenga que empujar.

Ruido y destrucción

Golpear juguetes con todas las fuerzas resulta muy atractivo, sobre todo en el caso de los niños. Estos objetos pueden provocar un ruido ensordecedor cuando se golpean, lo cual los hace más interesantes. Por ejemplo, tocar el tambor es mucho más divertido que golpear un cojín con la misma fuerza. Al bebé también le encanta derribar castillos de ladrillos de madera. Este es otro ejemplo de recompensa, pues el padre invierte tiempo y esfuerzo en construir un castillo que, con un simple golpe del bebé, se derribará en segundos. La catástrofe le proporciona al pequeño una sensación de gran poder.

El juego de recoger

Otro juego que le encanta al bebé es la rutina de «recoger». Muchos de sus movimientos torpes hacen que los objetos se caigan al suelo. Un padre atento recoge el objeto enseguida y lo coloca en su lugar. El bebé se detiene durante un instante y después lanza otro objeto de forma deliberada para comprobar si el padre lo recogerá. En ese momento, el padre se da cuenta del chiste y vuelve a recoger el objeto. El juego comienza a resultarle atractivo al bebé, pues este cree tener cierto poder sobre su padre.

Juguetes complejos

En general, el bebé decide qué juguete le gusta más. Existen muchísimas historias que relatan cómo el bebé está menos interesado en un trencito que en la caja en la que venía empacado. Esto se debe a que, lamentablemente, muchos juguetes están diseñados para adultos y no para niños, de modo que los juguetes más sofisticados resultan los menos atractivos. Aunque, por supuesto, hay excepciones.

Juguetes desafiantes

Los juguetes que supongan un reto para la inteligencia del bebé se convertirán enseguida en sus favoritos, siempre y cuando este pueda superarlo. Si siempre soluciona el problema, o nunca consigue resolverlo, el juguete será un fiasco. Pero si a veces el bebé falla y en otras acierta, es probable que siempre acuda a este juguete guiado por el factor de «recompensa ocasional». Para un niño pequeño, el apilar ladrillos de madera para construir una torre que al final se cae (o que tira a propósito) es un claro ejemplo de juguete desafiante. No se trata de ganar o perder, sino de cuántos ladrillos es capaz de colocar antes de que la torre se derrumbe. A medida que el niño crece, también lo hace la dificultad de este tipo de juguetes.

Juguetes con ruedas

Un escalón más arriba de la sencilla construcción de bloques está el carrito con ruedas que, al año de edad, sustituye a los ladrillos. El bebé los coloca en el remolque, empuja el carrito a un lugar nuevo, los saca, construye la torre, la derrumba, los vuelve a introducir en el remolque, etc. Esto implica que el bebé tiene que ponerse de pie mientras se apoya en el carrito. Mientras se concentra en empujarlo, el niño, sin darse cuenta, se familiariza con la acción de caminar. A partir de aquí, la movilidad se convierte en una obsesión, y el bebé se emociona explorando el mundo con juguetes con ruedas, como los triciclos o los coches de pedales.

Juguetes con formas

Los juguetes sencillos con formas diferentes resultan atractivos a partir del año, cuando el niño acepta el desafío de introducir objetos en agujeros. La emoción de introducir una figura en forma de estrella en un agujero de la misma forma es un juego a la vez que un aprendizaje que le enseña conceptos básicos de geometría. Los rompecabezas muy sencillos también suponen un reto y mejoran la familiaridad del bebé con las formas irregulares.

Los juguetes compuestos por piezas que el bebé debe unir de una manera determinada son juguetes más complejos e introducen el concepto de «juntar». Ponen a prueba la capacidad visual y, además, la coordinación ojo-mano, que se define a medida que pasan los meses y el bebé aprende a vestir y desvestir una muñeca o a montar piezas mecánicas.

Hacer música

Los instrumentos musicales sencillos que el bebé puede tocar o presionar para crear una escala musical también tienen cierto atractivo, pues el bebé ve que el resultado de sus acciones son sonidos divertidos.

Un niño puede sorprenderse por una caja sorpresa que, al abrirse, reproduce una canción, pero una vez reconoce que es «segura» (consultar «Humor», página 154), disfruta de la experiencia.

Conocerse a sí mismo

Durante el primer año, el bebé carece de conciencia de su propia identidad. Está tan absorto en descubrir el mundo que lo rodea, que apenas se presta atención a sí mismo. Esto cambia durante el segundo año, cuando empieza a ser consciente de su propia identidad.

La prueba del espejo

Cuando a un recién nacido se le muestra su propio reflejo, no se percata de que está mirándose a sí mismo. Reacciona como si fuera cualquier otro juguete, aunque de los más emocionantes, porque, cuando él se mueve, el reflejo también lo hace. Sin embargo, no tiene la menor idea de que está observando su imagen. Un pez o un pájaro reaccionan igual. Si el espejo se coloca en el territorio del animal, es posible que este lo ataque porque asume que la imagen es un intruso. O, si está de buen humor, es posible que intente realizar un acercamiento sexual.

Cuando el bebé alcanza los 15 meses de edad, llega el momento de la verdad. Se mira en el espejo, mueve la mano y «la otra persona» la mueve exactamente igual. Intenta realizar otras acciones, y la imagen las copia fielmente. Al final, el niño se da cuenta de que a quien está observando es a sí mismo, y no a otro niño. Hay una prueba infalible para saber si el bebé se reconoce en un espejo. Se le coloca un sombrero o se dibuja una marca en el rostro con maquillaje. Al ver otra vez su reflejo, puede reaccionar de dos maneras. Si intenta tocar el sombrero o la marca de maquillaje en su propio reflejo, la prueba habrá fallado. Si, en cambio, se contempla en el espejo, sopesa la situación y después intenta tocar el sombrero o la marca, habrá superado la prueba, ya que habrá demostrado que se reconoce en el espejo. A los 18 meses de edad, la mitad de los niños superan esta prueba. A los 24 meses, esta cifra incrementa a tres cuartas partes y, al tercer año, el 25% restante la supera. Para un adulto, esta prueba puede parecer ridícula, pero de hecho muy pocos animales son capaces de superarla. Además de los humanos, solo han podido hacerlo los chimpancés, los orangutanes, los delfines, los elefantes y los gorilas.

El sentido del «yo»

Este descubrimiento de que somos entidades individuales, personas con existencia independiente, aparece en el segundo cumpleaños; llevaría mucho tiempo explicar el fenómeno conocido como «los terribles dos años» (consultar «Una edad ajetreada», página 177). A esta edad el bebé ya ha descubierto que es un ser independiente, como aquellos que lo rodean, y es probable que adopte una actitud egoísta y testaruda. Quiere hacer las cosas a *su* manera, y se enfada si no se lo permiten. Intentar controlarlo se puede convertir en una guerra de voluntades, de modo que los padres deben adoptar nuevas estrategias para enfrentarse a esta etapa de obstinación.

Ansiedad por separación

El niño teme perder el contacto con sus padres. Cuando es muy pequeño, puede sufrir una crisis de ansiedad si pierde de vista a su madre o a su padre, o a la persona que lo cuida. Sin embargo, a medida que pasa el tiempo, el bebé aprende que, en determinadas ocasiones, circunstancias, como cuando lo acuestan, tiene que aceptar la ausencia de sus seres queridos, y que no puede hacer nada al respecto. En momentos como estos, busca alguna forma de sustituir a estas personas, un «objeto transicional».

Objetos transicionales

Como la madre tiene un cuerpo suave y agradable, el mejor sustituto será un objeto blando y agradable al tacto, de modo que el bebé pueda apoyar la mejilla en él y abrazarlo con fuerza. Para muchos bebés este objeto puede ser una manta. La arruga hasta conseguir la forma deseada y la coloca junto a la cabeza. El bebé suele dormir en esta posición, con la mejilla apoyada contra el objeto que sustituye el cuerpo materno. Después, este se convierte en su objeto favorito, que llevará a todas partes.

Juguetes blandos

Un bebé que tenga varios juguetes blandos con los que entretenerse durante el día suele seleccionar uno como su «juguete especial». Puede ser un osito, un elefante, un gato de peluche o cualquier otro personaje y, en general, siempre recibe un nombre muy especial. Si se pierde, el bebé puede sufrir una crisis de ansiedad.

Desgaste natural

Uno de los problemas de los objetos transicionales es que siempre deben estar a mano, día tras día, semana tras semana. Al final, el abrazo y los mimos constantes hacen mella en ellos, y la manta favorita empieza a desprender un olor desagradable e incluso puede romperse. Llegados a ese punto, el padre suele decidir, por cuestión de higiene, lavarla o arreglarla. Sin embargo, para el bebé, estas acciones pueden eliminar esa fragancia especial o textura agradable que forman parte de su experiencia en momentos de inseguridad. El momento en el que el padre debe tomar la decisión de sustituir ese objeto por uno nuevo puede ser incluso peor. Los objetos transicionales cobran tanta importancia que incluso llegan a ser compañeros íntimos y desarrollan identidades personales. Se hacen tan reales que algunos bebés los guardan durante años y, en algunos casos, hasta su edad adulta.

Instinto maternal

En el caso de las niñas, cualquier cosa suave y agradable provocará la respuesta inversa: el bebé se convierte en un padre simbólico, y el juguetito, en el niño. La niña cuida su juguete con la misma ternura con la que una madre protege a su bebé. Aunque ella entrega seguridad en lugar de recibirla, el objeto en cuestión actúa como herramienta relajante.

El género y el cerebro

¿Cuán diferentes son los cerebros de los niños y de las niñas al nacer? La manera en que se construyen o funcionan, ¿influye en características de género específicas después de un día fuera del útero? Investigaciones recientes apuntan en un sentido afirmativo, y que, además, estos desarrollos empiezan incluso antes, durante el quinto mes de embarazo.

El cerebro en el útero

Cuando, al quinto mes de embarazo, los testículos del feto masculino empiezan a producir testosterona, se produce un impacto hormonal en los tejidos cerebrales. Las enzimas trabajan sobre las hormonas sexuales masculinas para que se unan al tejido cerebral e inicien una transformación irreversible. El resultado es que en el transcurso de la vigesimosexta semana de embarazo es posible distinguir entre el cerebro fetal masculino y el femenino, pues ya aparecen diferencias claras.

Escáneres cerebrales

Según nuevas investigaciones, los escáneres cerebrales indican que, por ejemplo, los niños tienen hemisferios más asimétricos que las niñas. También tienen más materia blanca y menos materia gris en comparación con las niñas. Además, las niñas tienen más materia gris en las partes más avanzadas de la corteza cerebral, mientras que los niños tienen más materia gris en las partes más primitivas.

Otra diferencia interesante es que, en el caso del cerebro femenino, la denominada «corteza de asociación posterior» es más simétrica. Esta parte del cerebro se ocupa de procesos mentales complejos. La parte izquierda de los cerebros masculinos es ligeramente más grande que la derecha. La minúscula asimetría del cerebro femenino indica que su corteza de asociación es ligeramente más grande en la parte derecha. Teniendo en cuenta que el hemisferio izquierdo se encarga del pensamiento analítico y que el derecho está relacionado con el pensamiento intuitivo, no es impensable creer que la «intuición femenina» existe realmente.

Implicaciones futuras

Estas primeras diferencias entre los cerebros masculino y femenino se mantienen. De hecho, los escáneres realizados a cerebros masculinos y femeninos adultos indican que tienen un impacto a largo plazo. Durante estas pruebas es posible ver qué partes del cerebro «se encienden» (se activan) cuando se soluciona un problema. Por ejemplo, las mujeres utilizan ambos hemisferios al mismo tiempo cuando procesan información verbal, mientras que los hombres solo utilizan el izquierdo. Cuando se les propone un problema de orientación, como llegar a una dirección en particular, las mujeres utilizan sobre todo la parte derecha de la corteza cerebral, mientras que los hombres utilizan la izquierda. En asuntos emocionales, las mujeres utilizan la corteza cerebral. En cambio, en el caso de los hombres, la actividad emocional se produce en la parte más primitiva del cerebro, la amígdala. Algunas investigaciones han demostrado que la testosterona infantil agranda la amígdala y, por lo tanto, es visiblemente más grande en el cerebro masculino. En la etapa adulta, la amígdala masculina es un 16% más grande que la femenina.

En algunos casos, estos detalles anatómicos son confusos; lo que sí es claro es que, desde el nacimiento, o antes, los cerebros masculino y femenino difieren en estructura, organización y operación. Aunque estas diferencias indiquen que hombres y mujeres tienen procesos de pensamiento diferentes, no significa que la evolución los obligue a actuar de forma diferente o llegar a conclusiones diferentes. Como dijo un especialista: «La diferencia entre lo que pueden hacer una mujer y un hombre es pequeña; lo grande es la diferencia en la manera de hacerlo».

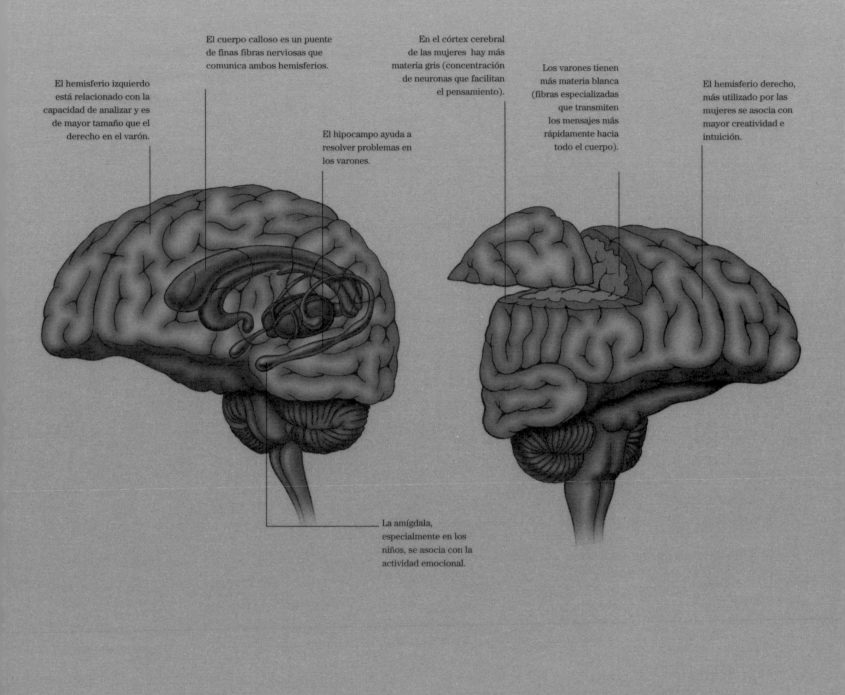

El cuerpo calloso es un puente de finas fibras nerviosas que comunica ambos hemisferios.

En el córtex cerebral de las mujeres hay más materia gris (concentración de neuronas que facilitan el pensamiento).

Los varones tienen más materia blanca (fibras especializadas que transmiten los mensajes más rápidamente hacia todo el cuerpo).

El hemisferio izquierdo está relacionado con la capacidad de analizar y es de mayor tamaño que el derecho en el varón.

El hemisferio derecho, más utilizado por las mujeres se asocia con mayor creatividad e intuición.

El hipocampo ayuda a resolver problemas en los varones.

La amígdala, especialmente en los niños, se asocia con la actividad emocional.

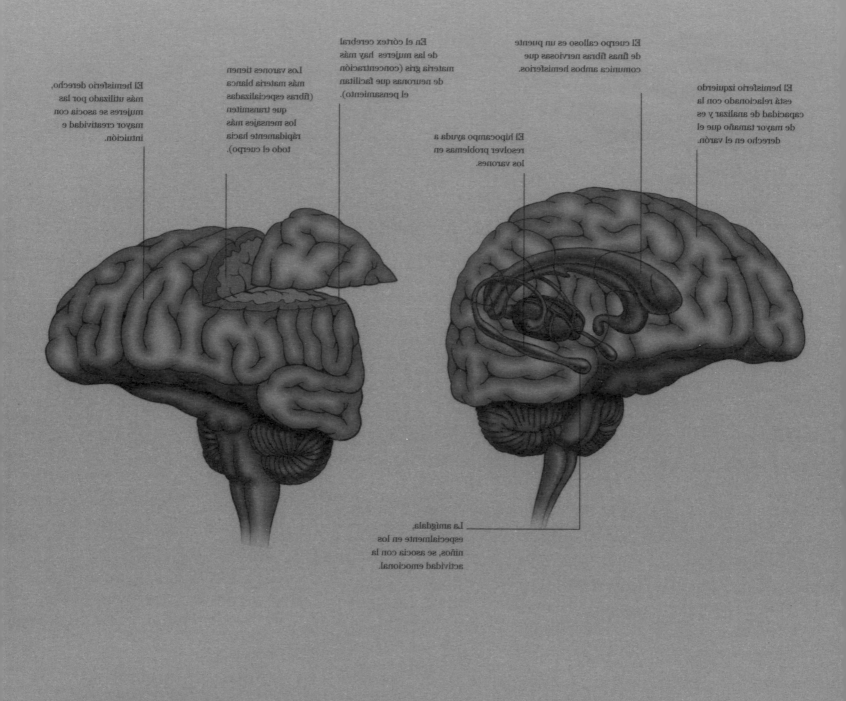

Vida emocional

Personalidad

Los padres que tienen más de un hijo se maravillan al ver las distintas personalidades de sus hijos. Uno puede ser tranquilo; otro, inquieto; otro, activo; otro, gritón. Todos desarrollan personalidades diferentes aunque reciban el mismo trato de sus padres. Si asumimos que son niños sanos, ¿a qué se deben tales diferencias?

En los genes

Aunque no tenemos mucha información sobre los genes que influyen en la personalidad humana, al parecer las diferencias del entorno no explican los diversos tipos de carácter que observamos entre hermanos. Para algunos, la idea de que los genes pueden controlar algo tan sutil y complejo como la personalidad humana es arriesgada e improbable. Sin embargo, pasan por alto el impacto a largo plazo de ciertas diferencias de carácter.

Tipos de personalidad

Tenga en cuenta los juegos. La tendencia de evolución básica en nuestra especie nos hace juguetones, e intenta que esta alegría dure hasta la vida adulta. Es precisamente esta característica la que nos hace tan curiosos, exploradores e imaginativos. Y es nuestra curiosidad la que nos hace únicos como especie. A lo largo de la evolución, este interés por los juegos ha ido en aumento, aunque su desarrollo es irregular. Algunos de nosotros somos más curiosos que otros desde una edad temprana. Algunos niños son extravertidos y se arriesgan; otros son más introvertidos y evitan cualquier daño. Entre estos dos extremos hay una gran variedad de casos.

Supongamos que hay un gen que determina esta curiosidad por lo nuevo (neofilia) y otro que influye en el rechazo hacia lo nuevo (neofobia) (consultar «Entorno de aprendizaje», página 130). El equilibrio entre estas dos influencias genéticas situará al bebé en algún punto de la escala extravertido / introvertido. Dado este punto de partida genético, el entorno del bebé hará el resto. Si a un bebé al que le atrae lo nuevo se le estimula esta cualidad, de adulto será inconformista e inventivo. Si, en cambio, a un bebé que rechaza lo nuevo no se le anima a explorar y se le castiga si lo hace, entonces, de adulto, será conformista y poco imaginativo. El primero evitará la rutina y exigirá nuevas experiencias; el segundo aceptará el *statu quo* sin chistar.

Existen otras variaciones. ¿Qué ocurre si castigamos al bebé juguetón y curioso por ser tan extravertido? ¿O si al que evita cualquier peligro se le anima a correr ciertos riesgos y a buscar nuevas sensaciones? Cualquiera de estas combinaciones, junto con la genética y el entorno, puede dar lugar a personalidades distintas. Además, también existe una amplia gama de estados intermedios solo por la influencia del factor genético.

Influencia parental

Los padres también influyen en el desarrollo de la personalidad, aunque no sea su intención. Si un bebé es tranquilo y no muestra interés por lo nuevo, es posible que el padre se pase la mayor parte del tiempo intentando estimular una emoción. Si lo hace con amabilidad, ayudará a crear un ser adulto más equilibrado. Si, por el contrario, lo fuerza, puede crear un individuo ansioso y estresado. Del mismo modo, si el bebé es hiperactivo y muestra interés por todo cuanto lo rodea, es probable que los padres se preocupen por los peligros y riesgos que conlleva. Así, estos padres intentarán tomar medidas para calmarlo. Una vez más, si lo hacen amablemente, ayudarán a que el bebé evite grandes riesgos sin deformar su estilo. Si lo llevan demasiado lejos, impidiendo que realice investigaciones, podrían frustrarlo.

Hay algo innegable: durante los primeros años de vida, la mayoría de niños establecen la personalidad que los acompañará durante la edad adulta y madura.

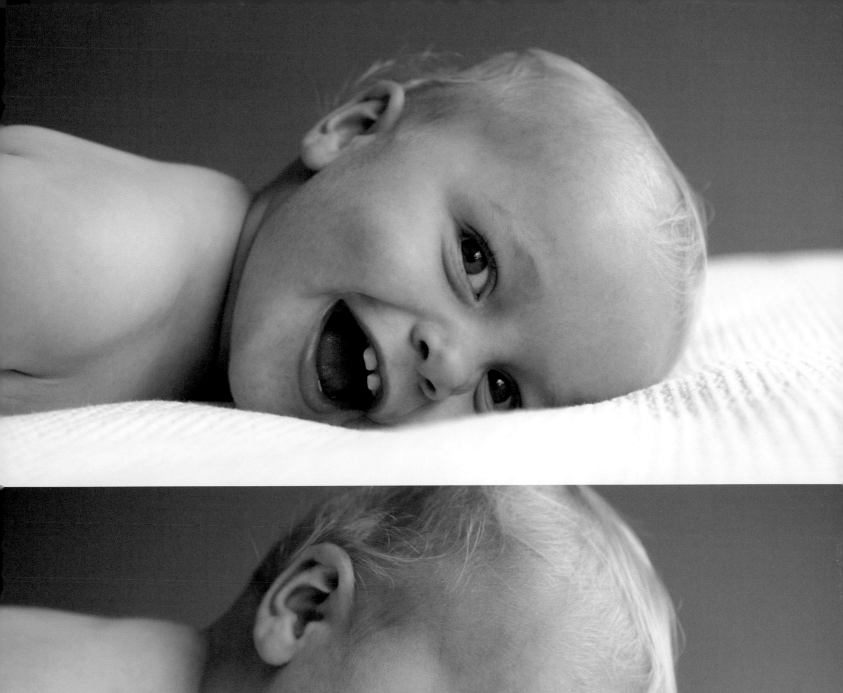

El estado de ánimo

¿Qué influye en el estado de ánimo de un bebé para que en un momento dado esté feliz y al siguiente esté triste? Algunas observaciones indican que están más felices en un entorno de estimulación amable. Es muy posible que se aburran si no hay ningún tipo de actividad, o estén ansiosos si están rodeados de hiperactividad. Sin embargo, si la estimulación amable los beneficia, ¿cómo debería ser este tipo de estimulación?

La vida en el útero

Antes de nacer, un bebé está expuesto a ciertos sonidos y movimientos que, más tarde, asociará con paz y seguridad. El sonido más repetido que escucha son los rítmicos latidos del corazón de su madre. Y el movimiento más familiar es el balanceo rítmico del abdomen materno cuando camina. Si estas sensaciones quedan grabadas en el cerebro del feto, es posible que, más tarde, el bebé las relacione con la protección. ¿Cómo demostrarlo?

El latido materno

Cuando está relajada, el corazón de la mujer embarazada late a 72 pulsaciones por minuto. Mediante una serie de pruebas, se realizaron observaciones sobre el tiempo en el que tardaban los bebés en dormirse cuando la habitación estaba en silencio. Después, los acostaban mientras oían grabaciones de un latido humano, a veces más rápido, y a veces más lento. Al final, les hacían escuchar canciones de cuna. En todos los casos, se anotó el tiempo que tardaban en dormirse. Los resultados fueron sorprendentes.

Los bebés que escuchaban latidos a 72 pulsaciones por minuto se dormían con el doble de rapidez. Ni el silencio ni las nanas ni los latidos rápidos y lentos fueron capaces de calmar a los bebés. Ni siquiera un metrónomo a la misma velocidad los satisfizo. Estaba claro que el pulso materno actúa como estímulo de los cambios de humor durante los últimos meses en el útero. Este tipo de observaciones explican por qué la madre sujeta al bebé con el brazo izquierdo. Sin darse cuenta, coloca al bebé junto a su corazón, lo cual lo mantiene tranquilo y calmado. No tiene nada que ver con el hecho de que la madre sea diestra: el 78% de las madres zurdas también prefieren cargar a sus bebés con el brazo izquierdo. Es más, un estudio sobre 466 cuadros de la Virgen y el Niño Jesús pintados hace siglos, muestra esta misma tendencia. En 373 casos (el 80%), el bebé está dibujado sobre el brazo izquierdo de la madre. Sin embargo, cuando observamos a las mujeres que van a comprar con sus bebés vemos que no existe una tendencia determinada en este caso: el 50% sujetan al bebé con el brazo izquierdo, y el otro 50% con el derecho.

El movimiento de la madre al caminar

El feto siente el paso rítmico y lento de su madre, y esto también puede influir en sus cambios de humor. Muchas madres, cuando intentan acostar al bebé, empiezan a balancearse intuitivamente con el bebé entre los brazos. El abrazo, combinado con estos movimientos, recuerda la experiencia vital en el útero y calma al bebé, que se duerme enseguida.

El cuidado de canguro

A los bebés prematuros se acostumbra ponerlos en una incubadora, alejados de cualquier tipo de contacto materno y, por tanto, no están expuestos al latido del corazón de la madre. En un hospital de San Francisco, se llevaron a cabo experimentos en bebés prematuros a quienes se liberaba de la incubadora durante unas horas y se los colocaba sobre el pecho de sus madres. Aquellos que recibían este «cuidado de canguro» se desarrollaban con tanta rapidez que podían abandonar el hospital en la mitad de tiempo. Si hay alguna prueba que ponga de manifiesto el poder extraordinario del latido del corazón materno como calmante del bebé, es esta.

Inteligencia emocional

La inteligencia emocional mide nuestra capacidad de controlar las emociones, entender las de los demás y establecer relaciones sociales. Es el tipo de inteligencia necesaria para un buen negociador, un amigo compasivo y un colega amable. Un individuo con una gran inteligencia emocional es una influencia tranquila y animada en un grupo. Los bebés aún no han alcanzado la etapa en la que se desarrolla la inteligencia emocional, pero el comportamiento de sus padres puede ayudarlos a construir las bases.

Aprender de los padres

A medida que crece, el bebé aprende de dos maneras. Aprende a conocer el mundo físico poniendo a prueba objetos, divirtiéndose con juguetes y experimentando con sus movimientos corporales (consultar «Exploración de objetos», página 134). Sin embargo, su CI, por muy alto que sea, nada tiene que ver con sus capacidades sociales. Estas las aprende de sus padres. Durante los dos primeros años, los padres son su modelo directo para las relaciones sociales. Si tiene la suerte de tener unos padres cariñosos, será más probable que se convierta en un adulto cariñoso. Todo ello tiene que llevarlos a alcanzar un cambio emocional, de «recibir amor» a «dar amor».

Aprender de otros seres vivos

Para el bebé, es difícil distinguir un objeto inanimado de un ser vivo. Apenas diferencia un peluche de un gatito vivo. Hay que decir que los bebés no suelen llevarse bien con las mascotas. Es posible que golpee a un gatito porque, sencillamente, no entiende lo que hace. Para él es otra prueba, como tocar el tambor o lanzar un juguete fuera de la cuna. Al respecto, los padres, si tienen paciencia, pueden empezar a enseñarle cómo relacionarse. El momento clave de entendimiento llega cuando es consciente de que sus acciones le hacen daño al gatito. Cuando se da cuenta de que los demás seres vivos también tienen sentimientos, nace su inteligencia emocional. Dar este paso cuando el bebé tiene menos de dos años no es sencillo, pero con paciencia puede hacerse. Cuanto antes empiece este proceso, más arraigado estará en el cerebro.

Malos padres, buenos padres

Los bebés que reciben un trato desagradable y poca atención por parte de sus padres aprenden estas habilidades sociales más lentamente y jamás desarrollan la capacidad de simpatizar con otros o preocuparse por el dolor ajeno. Como adultos, siempre carecerán de esta característica. Aquellos individuos que crecen con una inteligencia emocional baja no tienen autocontrol y, en general, necesitan controlar su temperamento. Los bebés que tienen la suerte de crecer en un entorno feliz, absorben el tipo de interacciones que observan a su alrededor. Los padres o familiares que se muestren alegres, serviciales y sonrientes influyen en el aprendizaje emocional del niño, aunque no estén directamente implicados en él. Contempla lo que ocurre a su alrededor y almacena cómo la gente trata a los demás. Si observa actuaciones amables entre dos adultos, absorbe el concepto de amabilidad más fácilmente que si estas son poco frecuentes.

Conseguir un equilibrio

Es cierto que todos los seres humanos nacen con unas necesidades competitivas y cooperativas, pero el equilibrio entre estos impulsos es difícil de adquirir. Un bebé rodeado de conflictos puede creer que se trata de una norma social. En cambio, un niño que solo observe acciones amorosas no estará preparado para enfrentarse a las dificultades de la vida adulta. Un bebé que experimente mucho amor y disciplina ocasional estará más equipado para enfrentarse al mundo adulto cuando crezca, gracias a una inteligencia emocional bien desarrollada.

Humor

Tener sentido del humor es una gran ventaja para cualquier adulto. La risa libera endorfinas al flujo sanguíneo y actúa como analgésico natural. Además, algunas pruebas demuestran que la risa disminuye la presión sanguínea, favorece el sistema inmunológico, que lucha contra enfermedades, y reduce el número de hormonas del estrés.

Pimera risa

Para un bebé con padres juguetones, la risa aparece entre el cuarto y quinto mes. Hacen algo para satisfacer al bebé y este sonríe. Repiten la acción y el bebé sonríe otra vez. Si lo vuelven a hacer, esta sonrisa se convierte en un sonido alegre y balbuceante. Este sonido es bastante gutural, pero, sin duda alguna, es una risa, y no solo una reacción refleja a un estímulo (consultar «Sonrisa», pág. 108). Las acciones que suelen provocar la primera risa del bebé son el sonido «¡buu!» mientras el padre sonríe, o el ruido hecho con la boca cuando se sopla sobre el pecho de un bebé. El bebé también puede responder con risa cuando, sobre el regazo de la madre, se balancea hacia adelante y atrás, o cuando el padre se esconde detrás de sus manos. Existen otras acciones que pueden producir la primera risa, como

pretender que se lanza al bebé y después evitar su caída agarrándolo y balaceándolo de lado a lado o haciéndole cosquillas.

La característica común de todas estas acciones es el elemento sorpresa. El bebé se ríe porque experimenta lo que podríamos llamar un «trauma seguro». El sonido «¡buu!» le asusta pero sabe que es su protector quien produce el sonido, así que se toma esta sorpresa como segura. Y esto es precisamente lo que hacen los adultos cuando se ríen de un chiste. Casi todos los chistes son sorprendentes, pero el hecho de que lo cuente un comediante o alguien que no se muestra hostil hace que la gente no se enfade ni se asuste.

La estructura de la risa

La suave risa de un bebé se desarrolla hasta llegar a ser una risa casi escandalosa. Estas risas son una serie de exhalaciones repetidas y rítmicas que se representarían como «ja-ja-ja». Si alguno de estos «ja» se extiende, se podría confundir con un llanto de ayuda o dolor. Es como si el bebé, en respuesta a la sorpresa del padre, empezara a llorar pero inmediatamente se diera cuenta de que se trata de una sorpresa segura.

Juegos divertidos

El alivio de saber que este tipo de sorpresa no le provoca dolor alguno provoca que el bebé quiera repetir la acción. Antes de aprender esto, se pueden provocar otras sonrisas manipulando sus acciones, con vocalizaciones o con lenguaje corporal. Esto refuerza su sentido de diversión y desarrolla sus habilidades sociales. A partir de ahora, el bebé quiere formar parte de todo tipo de juegos.

Miedos

Mientras el miedo del adulto puede ser irracional, el del bebé suele tener sentido. El bebé tiene plena confianza en sus protectores y, por lo tanto, es inevitable que si siente una pérdida de esta protección, sufra una crisis de ansiedad y empiece a llorar. Esto ayuda a aumentar las posibilidades de rescate. Además, los bebés son sensibles a cualquier estímulo repentino y poco habitual que perturbe la paz y tranquilidad de su mundo.

Miedo al ruido

Los pasajeros que viajan en avión con bebés suelen darse cuenta de los gritos incontrolables que acompañan el despegue y el aterrizaje. Esto se debe a que al bebé le duelen los oídos, tanto por el rugido repentino del motor como por la presión al cambiar rápidamente de altitud. Sus oídos son muy sensibles.

Miedo a caer

Otro miedo es el de caer. El bebé reacciona con ansiedad a cualquier cambio de postura inesperado. Los movimientos tensos y espasmódicos de la madre nerviosa o agitada le indican al recién nacido la existencia de un peligro. Por ello, esa mujer debería entregarle al recién nacido a su propia madre de forma amable y tranquila. Entonces el bebé se volverá a sentir seguro y se relajará. Las acciones tiernas y suaves calman a todos los bebés.

Miedo a los extraños

A los seis meses de edad, el bebé no distingue entre los familiares y los extraños, y siempre se alegra cuando alguien lo arropa entre sus brazos. Sin embargo, a partir de los seis meses empieza a reconocer a las personas más cercanas y las identifica como individuos. Si un extraño lo coge ahora, sufrirá una crisis de ansiedad y comenzará a gritar. Esto suele apenar a los familiares que lo visitan ocasionalmente, como la abuela o la tía, y es posible que no entiendan por qué un bebé, a quien le encantaba ser abrazado un mes antes, los rechaza de la noche a la

mañana. ¿Qué han hecho? La respuesta es que no han estado a su alrededor todos los días, y por ello no le resultan «familiares». Ahora los clasifica como extraños y potencialmente peligrosos. Al final, el bebé aprende que incluso los extraños pueden ser amigables y merecen su confianza, pero esto lleva tiempo y no puede apresurarse.

Miedo a perderse

Cuando el bebé empieza a moverse, le encanta explorar, pero siempre y cuando sus padres lo vigilen. Si sus exploraciones lo apartan de la vista de sus protectores, durante un momento sufre una crisis de ansiedad y corre hacia ellos. Si se pierde entre la multitud, se desespera y no se tranquiliza hasta que se reúne con sus padres y éstos lo abrazan. De hecho, tiene dos miedos: a estar separado de sus padres y a estar en contacto con personas extrañas que lo ayuden a encontrar a sus padres.

Miedo a la oscuridad

Si el bebé llora cuando está solo en la cuna y se enciende una lamparilla, no tendrá miedo a la oscuridad, sino a estar lejos de su protector. Por lo tanto, proporcionarle al bebé una luz por la noche no solucionará el problema. No es natural que los padres dejen a su hijo solo, y su llanto desconsolado los debería avisar de ello. Solamente cuando el niño tiene dos años, su imaginación deja de crear monstruos a los pies de la cama. Es una etapa natural que la mayoría de niños pasan, a veces acompañada de pesadillas.

Fobias

El miedo y la fobia son dos cosas diferentes. Los miedos son respuestas a algo que puede causar daño. Las fobias son respuestas irracionales a algo que no supone ninguna amenaza. Técnicamente, las fobias son «trastornos de ansiedad». No suelen desarrollarse hasta que el niño tiene cuatro años, aunque pueden estar muy arraigados desde los dos. Por alguna razón desconocida, las fobias son más frecuentes en las niñas que en los niños.

Origen de las fobias

Si un niño de dos años sufre un trauma, por ejemplo al encerrarse en un armario mientras juega al escondite, su cerebro olvidará esta dolorosa experiencia pero retendrá la asociación entre los espacios pequeños y el pánico. En su etapa adulta, esta persona puede estar en una habitación pequeña llena de gente y, de forma repentina, experimentar un estado irracional de pánico.

Como estos momentos de ansiedad que causarán fobias en el futuro suceden en una etapa tan temprana, resulta muy difícil recordarlos. Se almacenan en el inconsciente y son imposibles de rescatar. Es posible que un adulto que experimente una crisis de ansiedad no tenga ni la menor idea de la actividad u objeto que provocaron tal horror incontrolable. Solo un período de psicoanálisis profundo podrá desenterrar la verdadera causa infantil.

Un estudio sobre fobias más comunes nos da pistas de su posible origen: estar encerrado en espacios pequeños, hallarse en espacios enormes, estar rodeado de gente, ahogarse, hablar en público, volar y el contacto con ciertos animales, como los perros. Viendo la lista, resulta sencillo ver cómo un niño de dos años podría haber tenido una mala experiencia que desencadenase otra que se olvida pero no desaparece.

Cómo prevenir las fobias

Durante su etapa de exploración, el niño de dos años siempre está en peligro, sin importar las precauciones que tomen los padres.

Un niño curioso puede escalar hasta donde se lo proponga, pero luego no sabrá descender.

Mientras espera el rescate de sus padres sumido en una crisis de ansiedad, en su cerebro infantil se crea una marca, pero es imposible que los padres eliminen todos los objetos escalables del entorno del niño. Lo mismo ocurre con el agua, con perderse o con una mascota.

Predicar con el ejemplo

Si ocurre un trauma, entonces es fundamental reaccionar de la manera adecuada. Si el padre también muestra una preocupación excesiva, el cerebro del niño de manera automática registra la experiencia como algo que no solo era desagradable, sino que «también ha horrorizado a mi protector». Si, en cambio, el padre no sufre ninguna crisis de ansiedad, el niño se limitará a almacenar que «caerse en el agua» o «escalar demasiado alto» es algo a lo que debe tener cuidado. Con un padre temeroso, la experiencia será tan intensa que el niño desarrollará una fobia que perdurará durante toda la vida.

Sentimiento de seguridad

La necesidad de explorar que siente el bebé está ligada con la necesidad de sentirse seguro. Correr por espacios abiertos y alcanzar objetos lejanos puede ser emocionante pero, en algunos casos, también espeluznante: el bebé se aleja de su hogar, de sus protectores y de su refugio seguro. La solución ideal es que el niño pueda explorar al mismo tiempo que mantiene contacto con algo que le hace sentirse seguro.

Apego a los padres

No hay nada que haga sentirse más seguro al bebé que el contacto con sus padres. Goza de su seguridad mientras explora, gatea y vigila los movimientos de sus padres, y corre hacia ellos de vez en cuando para intercambiar unas palabras, un abrazo o una caricia.

Cubículos y armarios

Un bebé que ya gatea suele desarrollar una pasión por introducirse y salir de armarios. No es extraño que juegue al escondite o que busque un pequeño «hogar» en el que se sienta seguro y protegido de los peligros del mundo exterior. Algunos padres montan una pequeña tienda de campaña en el jardín. El bebé disfruta de esta casa en miniatura de la que sale de vez en cuando para explorar el mundo, pero vuelve a ella enseguida, como si fuera una base segura. Otros padres compran una casita de juguete lo suficientemente grande como para que el bebé se desplace por el interior. Las cajas de cartón también pueden servir. Al parecer, estos espacios semicerrados despiertan en el bebé la necesidad de tener una guarida o, para los más freudianos, de volver al útero materno.

Coleccionar y atesorar

Cuando el bebé ya tiene un lugar especial en el que se siente seguro del mundo, empieza a decorarlo con objetos. Busca juguetes pequeños y los traslada al interior de su guarida, donde los utiliza para mejorar el entorno de su espacio seguro. Esta es la primera señal del interés del bebé en sus «posesiones personales». En esta etapa, el interés por cada posesión dura relativamente poco. Cuando abandona el hogar para realizar alguna actividad, suele ignorar sus trofeos y los deja tirados para que sus padres los ordenen. Para algunos individuos, esta necesidad de coleccionar se desvanece enseguida; sin embargo, para otros perdura a lo largo de los años hasta que, de adultos, se aficionan a decorar sus casas con objetos que los hacen sentirse «como en casa» y, por lo tanto, más seguros. Es como si estos pequeños coleccionistas representaran, de forma simbólica, el comportamiento de sus ancestros, cuyas vidas estaban dominadas por la idea de traer comida a la pequeña cabaña donde la tribu se sentía segura de los peligros de la vida.

Desafíos

La vida emocional del bebé cambia radicalmente en su segundo cumpleaños. Ahora es mucho más confiado, además de extravertido, y espera que sus deseos sean primordiales. Una forma de expresar su obstinación e independencia es mediante los desafíos. A veces, los padres se sorprenden de ver cómo su obediente hijo entra en esta nueva etapa de desarrollo.

Aprender a decir «no»

El bebé descubre enseguida que pronunciar la palabra «no» tiene un impacto fascinante. Provoca una reacción en el padre y, a continuación, una breve batalla de voluntades que, para el bebé, es toda una recompensa. Es una especie de interacción, además de una novedad emocional, y al bebé le encanta jugar con ella, poniendo a prueba al padre para ver hasta dónde puede llegar. Por desgracia, cuando el niño ha empezado a entretenerse con este juego, no hay quien lo pare hasta que, por último, se produce un enfrentamiento que suele ser estresante para ambas partes.

Burlar a un niño desafiante

Los niños son testarudos, pero pueden responder de forma positiva a ciertos trucos de los padres. Una solución es la táctica de la «doble elección». En lugar de ordenar algo sencillo, el padre ofrece un par de alternativas. En vez de decir «bébete la leche», esta orden se convierte en una pregunta, como: «¿Quieres leche o jugo de naranja?». La respuesta «nada» aún no ha entrado en escena, y por lo tanto el bebé decidirá entre lo uno o lo otro.
La segunda estrategia es la de «cuenta atrás», en la que el niño tiene que tomar una decisión antes de que el padre acabe de contar de diez a uno. Sorprendentemente, esto suele funcionar porque se convierte en un juego divertido y sustituye a la novedad de decir «no».

La tercera estrategia es una solución verbal. Un bebé que grita «¡no!» puede, en realidad, estar imitando a alguno de sus padres, al igual que lo hace con otras cosas. Por ello, vale la pena explorar otras formas de expresión negativa. Un niño de dos años conoce la diferencia entre el «sí» y el «no», pero probablemente no conozca los matices, como «a lo mejor», «quizá», «pronto» o «tarde». Explicarle estas palabras al bebé supone todo un reto, de modo que el bebé utilice estos términos no tan negativos y demuestre que los entiende.

Aprender a diferenciar

Hay veces en que la situación es tan grave que no hay juego que valga. Si un niño está a punto de hacer algo peligroso, un «¡no!» enfático es apropiado y debe obedecerse. Es aconsejable utilizar una palabra clave después del «¡no!», una palabra que se haya acordado antes. Un padre puede gritar «¡en serio!» inmediatamente después del «¡no!», por ejemplo, si solo se utiliza en este tipo de casos. El niño la registra como una «circunstancia especial» y reacciona de la manera adecuada.

Las pataletas del bebé

El niño es optimista y extravertido. Ahora camina, pronuncia palabras enérgicas y todo va viento en popa. Él es el centro de su universo, y enseguida empieza a exigir cosas que, a veces, no pueden concedérsele. Hay momentos en que es necesario recurrir a la disciplina, y el temido «¡no!» debe pronunciarse.

Pataleta sin control

La primera vez que a un niño se le niega algo, puede perder el control y gritar, llorar, patear, lanzar objetos, golpear, retorcerse, sacudir los brazos y piernas y, en algunos casos, dejar de respirar (consultar «Llanto», página 107). Este tipo de rabieta suele duran entre treinta segundos y dos minutos, hasta que la intensidad puede con su voluntad. Si el padre se enfada, no hará más que empeorar las cosas, y si intenta calmarlo, tampoco funcionará.

No hay nada de raro en estas explosiones. Aun los adultos a veces pierden los nervios, maldicen, juran y cierran la puerta de un golpe. A lo mejor aprendimos a controlarnos lo suficiente como para no hacer esto a menudo, de modo que, cuando explotamos, no gritamos ni sacudimos los brazos en el suelo. Sin embargo, un niño de dos años aún no ha adquirido este nivel de autocontrol. Para él, la frustración le conduce a realizar las formas de protesta más exageradas que conoce, lo cual es bastante espantoso.

Aunque los dos años es la edad cumbre para este tipo de rabietas, pueden aparecer al año o perdurar hasta los cuatro. El 80% de los niños suelen tenerlas a esta edad y es tan habitual en las niñas como en los niños. Algunos son más propensos durante esta etapa y, durante un período, estas pataletas pueden ser diarias. Otros, generalmente los de naturaleza plácida, apenas las manifiestan y, si lo hacen, son rabietas menores, con lloriqueos que interrumpen lo que están haciendo.

¿Qué provoca las pataletas?

El hecho de que el bebé no consiga lo que quiere puede provocar una pataleta. Por ejemplo, si quiere hacer lo que su madre esté haciendo y esta lo detiene porque sabe que el bebé no es capaz, la frustración de su autoexpresión e independencia le hace perder el control. Lo mismo ocurre cuando un bebé no logra el objetivo que se había marcado. Está en una edad en la que puede imaginarse el resultado de una tarea, pero su cuerpo aún no le permite resolverla. En otras palabras, entiende lo que debe hacer pero, físicamente, no puede hacerlo. Si explota, destruye el objeto que produce su frustración. Puede ser una lección dura, pero debe aprender cuáles son sus limitaciones, lo cual es una experiencia positiva. Poco a poco será consciente de sus capacidades mentales y físicas, de sus influencias sociales y de dónde están sus límites.

Diferencias de género

Al nacer, los niños y las niñas ya muestran ciertas diferencias de género innatas cuyos orígenes datan de la prehistoria, de cuando nuestros ancestros hicieron de la caza y la reunión social un modo de vida, y las mujeres se consideraban tan valiosas que no cazaban para no correr riesgos. Por ello, las mujeres hacían todo lo demás y eran el centro de la sociedad tribal, mientras que los hombres se iban en busca de comida.

El hombre cazador

A medida que el hombre se especializó en la caza, también desarrolló un cuerpo más grande, más fuerte y más musculoso; esto se refleja en el tamaño de los niños y niñas al nacer. En promedio, los niños pesan 225 g más que las niñas. Los cazadores debían ser cautelosos cuando perseguían a sus presas, más estoicos y menos emocionales: esto se refleja en que el niño llora menos que las niñas. Además, el hombre siempre debía estar preparado para asumir riesgos; por ello, los niños son más aventureros que las niñas. Para ser un buen cazador, el hombre estaba obligado a ser un buen rastreador, perseguidor y tirador, y los niños parecen tener más conciencia espacial y mejor manejo de los juegos con pelota que las niñas. El cazador tenía que elaborar armas eficientes y, al parecer, los niños disfrutan más que las niñas cuando golpean juguetes.

La mujer multitarea

La mujer prehistórica se ocupaba de los niños y organizaba la sociedad en ausencia del hombre. Así, se convirtió en más cautelosa, más cariñosa y más eficiente para ciertas tareas. En lugar de la personalidad resuelta del cazador, la mujer desarrolló la capacidad de llevar a cabo más de una tarea a la vez, y se hizo más paciente y cooperativa. El olfato, el oído y el gusto de la mujer se desarrollaron más que los del hombre. Además, era imprescindible para la reproducción de la especie y, por ello, era más resistente a las enfermedades y al hambre. Como organizadoras de la tribu, su capacidad verbal y fluidez vocal estaba más desarrollada. La mujer se convirtió en gran comunicadora.

La mayoría de estas diferencias pueden apreciarse entre los niños y las niñas, pues los primeros son más taciturnos y se preocupan menos de organizar sus propios juegos que las niñas.

Diferencias lingüísticas

Durante el segundo año de vida, cuando empiezan a hablar, aparecen las primeras diferencias verbales entre niños y niñas. Las niñas suelen utilizar palabras que describen emociones más a menudo que los niños. «Gusta» y «no gusta», «amor» y «odio», «feliz» y «triste», son términos que surgen antes de los labios de las niñas durante la adquisición del lenguaje. Esto refleja que, desde esta temprana edad, las niñas se preocupan más por su estado emocional, mientras que los niños intentan ocultar sus sentimientos.

Otras diferencias lingüísticas que aparecen en una edad temprana son la fluidez verbal de las chicas, y la forma de debatir y resolver problemas. Las niñas utilizan más sustantivos y tienen más facilidad para ponerles nombre a las cosas. Los niños están más interesados en hablar de acciones. Es difícil decir a ciencia cierta cuáles de estas diferencias lingüísticas son características innatas del niño o de la niña y cuáles son influencia de los padres. Ambas influyen y, por ello, es difícil separarlas. Es verdad que los padres les hablan a los niños de manera diferente que a las niñas, pero el hecho que influya en sus ideas preconcebidas sobre la masculinidad y feminidad es difícil de decir.

Los hermanos

Al nacer, el bebé se encuentra con un mundo lleno de gente. Si es hijo de madre soltera, vivir en un apartamento de ciudad será como vivir en una pequeña comunidad en la que solo conviven él y su madre. En el otro extremo, el bebé se encontrará en medio de una gran familia que incluye madre, padre, varios niños, tío, tía, abuelos y amigos íntimos de la familia.

En las sociedades tribales, el recién nacido solo es un elemento más de la aldea, y la madre recibe todo el apoyo de los que la rodean. En los tiempos modernos, la familia numerosa ha ido en declive, las familias cada vez son más pequeñas y los familiares son más remotos. Para el bebé, estos cambios sociales pueden tener un gran impacto.

El hijo único

No tener hermanos acarrea ventajas e inconvenientes. Una de las ventajas es que disfruta de la atención incondicional de padres y familiares. Lo tiene todo para él solo. No tiene hermanos ni hermanas con quienes compartir sus juguetes. El hogar es solo para él. No hay riñas. Es el rey de su castillo. Uno de los inconvenientes es que no siempre será así, y que no podrá aprender los alborotos y el «dar y tomar» de la existencia social. Cuando empiece a ir a la guardería, tendrá un concepto de sí mismo como el centro de atención y se enfrentará a un aprendizaje que los demás, si están rodeados de hermanos, ya habrán adquirido.

No es culpa suya que sea egocéntrico: no había nadie más de su generación que fuera el centro de atención. Aunque haga todo lo posible por compartir sus cosas con los compañeros de juego, para él será más duro. Al final lo conseguirá, pero el hecho de disfrutar de una existencia solitaria durante sus primeros años puede dejar una marca en su personalidad para el resto de su vida. Al parecer, los hijos únicos no sufren de soledad como los adultos, sino que la disfrutan y, aunque pueden aprender a ser sociables, tienden a pasar mucho tiempo solos.

El hermano mayor

El niño que tenga hermanos menores tiene el doble de ventajas que los demás niños. Durante los dos primeros años, goza de toda la atención de sus padres y recibe el mismo trato que un hijo único. Aprende a ser amado sin interrupciones ni interferencias. Su ego florece, y se siente merecedor de este amor. Pero entonces, antes de que todo esto se le suba a la cabeza llega el segundo bebé y, de repente, es testigo de cómo la atención de sus padres se centra en el recién llegado. Debe conformarse, pero, al hacerlo, no pierde su sentido de autoestima. Esto significa que tiene una base sólida de su «yo» sobre la que construir los factores limitantes del «compartir» social. El resultado es una persona con seguridad en sí misma y capaz de interactuar con los demás.

El hijo menor

El bebé que nace en un hogar con más niños está rodeado de hermanos más fuertes y competitivos desde el primer día. Si es el segundo, el tercero o el cuarto, la diferencia es mínima. En todos los casos, siempre está la amenaza del hermano mayor. Estos niños tienden a convertirse en individuos más sociables, pero, a veces, carecen del sentido de identidad personal que uno percibe en el hijo único. Cuando el bebé alcanza los dos años pasa a un segundo lugar y aprende que los juguetes no son solo para él. Incluso los juguetes que le regalaron, los cogerán sus hermanos. Sin embargo, una de las ventajas más especiales es que, como «bebé» de la familia, puede sentirse amenazado por extraños, y serán sus hermanos mayores quienes acudirán al rescate.

La relación con otros niños

Cuando un bebé conoce a otro, el extraño es solo otro objeto intrigante
que explorar, como cualquier otro artículo de su alrededor. No distingue
entre otro bebé y, por ejemplo, un peluche o una muñeca. Es posible que
se acerque, lo toque y lo observe, pero no hay rastro de empatía ni de
entendimiento. La interacción social real no ocurre hasta más tarde,
hasta la etapa de la guardería.

Los juegos durante esta etapa son solitarios, y todo compañero se contempla como un «juguete». Es posible que haya imitación: cuando dos bebés están sentados cerca, inician un juego paralelo. Esto no puede considerarse interacción social. Los padres, al ver que los niños se sonríen entre ellos, pueden imaginarse que son testigos de un lenguaje corporal que, en el caso de niños mayores, sería un saludo amigable. Pero durante esta etapa, la sonrisa es una acción independiente que refleja la diversión del bebé al contemplar un objeto fascinante. Si uno de ellos empieza a llorar, su compañero se pondrá triste. Sin embargo, esta tristeza seguramente estará producida por un sonido desagradable, y no por una simpatía mutua.

Del mismo modo, el bebé reacciona igual con las mascotas, acariciando a un perro o un gato como si fuera un bebé. Por esta razón, es mejor que las mascotas entren en acción cuando el bebé sea mayor y pueda responsabilizarse. Un bebé jamás debería quedarse con una mascota a solas, sin vigilancia.

Hacerse independiente

La confianza

Al llegar a su segundo cumpleaños, el niño se encuentra al borde de una etapa llena de maravillas y emociones. Aún le quedan tres años para empezar el colegio y, durante este tiempo, es encantador a la vez que encantado. Si le dan la oportunidad, disfrutará de cada día y explorará nuevos niveles lingüísticos, nuevas capacidades musculares y nuevos retos mentales. Dejando atrás el ser vulnerable, pasa a una etapa de formación cultural que seguirá durante varios años: se levantará por la mañana con la esperanza de divertirse y disfrutar. Estos serán los días más felices e inocentes de su vida.

Sentimientos de inseguridad

Durante esta etapa, el niño empieza a hablar con otros niños y a conocerlos. Aun si al bebé se le han presentado varias situaciones y está acostumbrado a conocer otros niños, desarrollará confianza y la capacidad de saber manejar nuevas experiencias. Para unos, este proceso es gradual y no presenta problemas ni traumas. En cambio, otros lo viven con pánico y angustia, porque no son capaces de romper la protección parental cuando es necesario.

El momento de la separación

En general, a los niños no les gusta que los dejen solos con extraños.

Incluso cuando ha cumplido los dos años, siempre vigila a su padre cuando está en la guardería por si, de repente, éste desaparece.

Para un adulto, cuando su hijo se queda absorto con un juguete, es tentador escabullirse sin que él se dé cuenta. Esta estrategia, desde el punto de vista del bebé, puede parecer un abandono y, por ello, entra en un estado de ansiedad difícil de controlar. Tiene más sentido si el padre se despide con un abrazo o un beso y le asegura que pronto volverá a recogerlo. Se producirá un momento de llanto, pero en general desaparecerá después de que el padre se haya ido y la profesora de la guardería haya llamado su atención con algún juego divertido. Un llanto breve es señal de que el niño creó un vínculo seguro con sus padres, y no de que sea un ser inseguro.

¿Cómo estimular la confianza?

Existen varias maneras de ensalzar la confianza de un hijo. Evidentemente, proporcionarle consuelo, amor y apoyo en los momentos tristes es una de ellas. Otra es el "dejar ir"; permitir que el niño explore su entorno es seguro. De este modo, tendrá más experiencias y aprenderá a enfrentarse a nuevos retos, que él aprenderá a resolver por sí mismo. El saber que un protector está cerca lo anima a realizar estas mismas acciones con más facilidad, lo cual es una señal de su independencia.

El niño seguro

Cuanto más seguro se sienta el niño durante sus primeros años de vida, más confiará en sus padres, y más seguridad tendrá en sí mismo. Sus padres le demuestran su amor y, por ello, desarrolla la autoestima y está a gusto consigo mismo. El propio bebé será quien efectúe los primeros movimientos hacia acciones más independientes. Sus padres no tienen que estimularlo, sino que debe ser él mismo quien tome las riendas y, despacio pero seguro, empiece a expresarse como un individuo extravertido y seguro de sí mismo, preparado para aceptar nuevos retos.

Una edad ajetreada

Se ha escrito mucho sobre el comportamiento del niño de dos años, cada vez más independiente, y hablamos de "los terribles dos años" para referirnos a esta etapa de la infancia. De hecho, es una época muy difícil para los padres que, unos años después, relatarán los momentos memorables de esta etapa, en la que sus bebés sorprendían y avergonzaban a los adultos que los rodeaban.

Sin embargo, si observamos estos incidentes con precisión, veremos que la mayoría de estos niños son encantadores en lugar de molestos, y divertidos en lugar de irritantes. Muy pocas de las estas historias apenas justifican la expresión "los terribles dos años". Es verdad que los niños pasan por una fase egocéntrica en la que siempre imponen su independencia a sus capacidades. Pero, a pesar del rechazo terco o de la rabieta infundada, esta edad está llena de sorpresas, tanto para el niño como para los padres.

Un lugar seguro

A los niños les encanta explorar su entorno, y su curiosidad los hace propensos a los accidentes. Sin embargo, algunos estudios han demostrado que prefieren no alejarse mucho de la protección paternal. De hecho, una investigación sobre el comportamiento de los niños en parques demostró que, excepto en algunos casos, los niños no se alejaban más de 6 metros de sus madres. Esta cifra encajaba con lo que los padres consideraban una distancia segura.

Siempre en marcha

Los niños de esta edad tienen buena memoria, una energía ilimitada y una curiosidad infinita. Su alegría brilla desde el desayuno hasta la hora de dormir, y pueden agotar hasta a los padres más cariñosos.

Cuando al fin ya ha adquirido las capacidades físicas y mentales necesarias para explorar el mundo, el niño de dos años está impaciente por seguir adelante. Hay mucho que hacer y mucho que aprender. Las dificultades sólo se presentan si, por alguna razón especial no hay gran cosa que hacer; sentirá frustración y se mostrará irritable e inquieto.

Interactuar con el mundo

Al cumplir los dos años, el bebé está en una etapa en la que no sólo cuenta con un vocabulario modesto, sino que además le encanta conversar e inventarse nuevas formas de combinar las palabras que conoce. Su cerebro, genéticamente programado para adquirir el lenguaje verbal, está en un período de desarrollo mágico, caracterizado por la necesidad de conquistar la gramática, expandir el vocabulario y mejorar la pronunciación.

Un proceso orgánico

Esto no exige lecciones formales ni pensamiento analítico. Sencillamente ocurre, lo cual es maravilloso. Además, el niño de dos años disfruta cuando impresiona a sus padres. Éstos perciben algo nuevo casi cada día y, si hay una atmósfera familiar feliz, si demuestran su sorpresa, el progreso del bebé será más pleno.

Una imaginación saludable

La imaginación del niño empieza a florecer en esta etapa, cuando deja atrás ciertos juguetes y empieza a disfrutar de la mayoría de las preocupaciones humanas. En otras palabras, comienza a explorar un mundo de fantasía. Casi todas sus actividades implican alguna forma de juego, y disfruta más de aquellas en las que puede representar escenas cotidianas. Si tiene animales o muñecas, habla con ellos y crea escenas sencillas. Combina felizmente palabras fantasiosas y reales (para él no hay necesidad alguna de distinguirlas), y los acontecimientos rutinarios se mezclan con los inventados. Como resultado, muchos niños entre dos y cinco años se inventan amigos imaginarios con quienes comparten sus experiencias diarias.

Lecciones parentales

Es interesante ver con qué frecuencia el niño prefiere representar los papeles de "padre" o de "madre" en su juego de fantasía mientras regaña a un juguete por su mal comportamiento o lo elogia por haber hecho algo bien. Esto refleja hasta qué punto el bebé recuerda, desde una edad tan temprana, el trato recibido por su madre y padre. Incluso reproducirá pequeños detalles, como señalar con el dedo índice o fruncir el ceño, cuando regaña a su muñeca.

Interpretar el mundo

El niño de dos años escucha con interés las conversaciones que se producen a su alrededor. Le encanta hacer preguntas, y es capaz de entender las explicaciones. Ahora empieza a recordar acontecimientos pasados, lo cual le encanta.

Sin embargo, su intento de darle sentido al mundo lo conduce a malentendidos y, en algunos casos, a miedos irracionales. Un niño que ve un juguete en el desagüe de la bañera, puede asustarse de tal forma que, cuando tenga que bañarse, se alejará de allí por miedo.

Utilización del inodoro

Los padres esperan ansiosamente el momento en el que sus niños sepan ir solos al baño y puedan, por fin, dejar la agotadora rutina de cambiarle la ropa constantemente. Sin embargo, este proceso no puede agilizarse, ya que depende del sistema nervioso del niño. Cuando esté lo suficientemente desarrollado, el niño sentirá que el intestino y la vejiga están llenos (consultar «Las deyecciones», página 98).

Hora de ir al baño

Durante el primer año, el bebé defeca automáticamente cuando siente presión en el intestino. Es un acto reflejo imposible de controlar. En otras palabras, no es capaz de aprender a ir al baño, sin importar los esfuerzos de sus padres higiénicos y excesivamente entusiastas. A pesar de esto, se ha demostrado que en algunos países el 80% de los niños están sujetos a repetidos intentos de sus padres para imponer una disciplina de ir al baño durante esta etapa. Es más, algunos padres afirman orgullosos que lo han logrado, aunque la biología humana indica que esto es imposible. ¿Qué pasa en estos casos?

La respuesta es que controlan la hora de ir al baño, lo que no tiene nada que ver con que el niño haya aprendido a ir al baño solo. La madre sabe que su bebé defeca después de cada comida, así que desarrolla la rutina de llevarlo al baño después de darle de comer. Esto coincide con el momento de evacuación, pero el bebé no está cooperando de forma activa, pues la defecación no es más que un acto reflejo. Aunque la madre elogie a su hijo y éste perciba su felicidad, aún no puede controlar esta acción.

Ya está preparado

Después de su primer año, ya puede controlar sus funciones corporales, excepto de noche. Las niñas generalmente alcanzan esta etapa antes que los niños. Lo normal es que tarden algunos meses en controlar el músculo del esfínter. La edad más temprana en la que esto puede suceder oscila entre los 12 y 15 meses, aunque los 18 es lo más habitual y algunos tardan incluso más. Esto suele coincidir con el desarrollo infantil y, por ello, se producen variaciones considerables.

No hay que preocuparse si los niños tardan más tiempo e inician esta fase más tarde.

Un bebé demuestra que está a punto de realizar un movimiento de intestinos cuando hace una mueca o se pone en cuclillas. Los niños suelen demostrar una gran fascinación por lo que excretan, e incluso pueden coger el contenido de su orinal y ofrecerlo como regalo, pues aún no han aprendido a sentir asco. Otros se intimidan ante el proceso y necesitan un gran apoyo y elogios de los padres.

Actuar por sí mismos

Cuando el niño cumple los dos años, muestra nuevas tendencias. Empieza a insistir en hacer las cosas por sí mismo. Al principio, el bebé era feliz cuando sus padres lo vestían, le daban de comer y lo llevaban en brazos. Sin embargo, ahora rechaza cualquier tipo de ayuda, e intenta llevar a cabo estas acciones él solo.

Vestirse

Un bebé no colabora cuando lo viste uno de los padres. Disfruta del proceso, porque implica un contacto corporal, y poco puede ayudar. Después, al año de edad, empieza a ayudar en el procedimiento. Unos meses más tarde, puede mostrar los primeros indicios de querer vestirse solo, en general intentando ponerse los calcetines. A los 18 meses ya quiere ponerse los zapatos él mismo, aunque existe un 50% de probabilidades de que no acaben en el pie correspondiente. Es posible que, durante esta edad, se las arregle para quitarse la ropa al irse a dormir.

A los dos años llega una mañana en la que, para sorpresa de la madre, el niño está completamente vestido y orgulloso de su hazaña. Es posible que las prendas no combinen, pero se siente satisfecho de haber "ganado" este juego. Infortunadamente, para él es un juego y no una rutina diaria. Es posible que al día siguiente amanezca esperando que su madre lo vista. Era la novedad de vestirse por sí mismo por primera vez lo que le importaba, y esta emoción ya se ha desvanecido. Hasta un año después no se vestirá solo de forma regular.

¡Déjame hacerlo!

El niño de dos años traslada esta tendencia de "hacerlo por mí mismo" a todos los campos, como vestirse, comer y jugar y, con frecuencia, se resiste a que sus padres lo ayuden. No se disgusta si le ofrecen ayuda, pero si se le insiste puede enfadarse, porque, para el bebé, esto es insultante. El padre debe ser diplomático, permitir que el niño haga lo que haya decidido por su cuenta y tener preparada una estrategia por si las cosas empiezan a ir mal.

Tomar decisiones

Junto con el deseo de hacerlo todo por sí mismo, llega el deseo de cambiar la aceptación pasiva de las decisiones de sus padres y tomarlas por sí mismo. Esto le hace la vida más difícil, pero también más interesante, y lo ayuda a allanar el camino para una existencia más independiente.

Un buen ejemplo se produce cuando llega la hora de comer y el niño empieza a rechazar ciertos alimentos. Para los padres, este rechazo continuo es cada vez más irritante, pero, desde el punto de vista del bebé, es un juego de lo más divertido. Y este es sólo el principio de los "juegos de decisiones". Cualquier situación en la que el cambio de preferencias pueda prolongar la interacción con los padres será una oportunidad, tanto para recibir más atención de ellos, como para manifestar un ápice de su nueva independencia.

Una perspectiva positiva

El niño de dos años puede expresar su independencia en otros ámbitos impuestos, como en la ropa, y los juegos, y en los paseos y las siestas establecidos. Al final, los padres siempre ganan, pero intimidarlo es la peor manera de encarar el problema. Es aconsejable contemplar estas situaciones de rebeldía como una señal de valentía y no como un acto de hostilidad. Para el niño, el oponerse al mundo adulto supone todo un esfuerzo y, sin importarle lo desagradables que puedan ser estas situaciones, el niño sólo está demostrando un carácter que le conducirá a una existencia independiente. Este proceso puede durar décadas, pero a los dos años ya se distinguen los primeros indicios de este largo viaje.

Relacionarse

El niño de dos años está en el umbral de una nueva experiencia vital: compartir sus experiencias con otros niños. Aunque tarde en darse cuenta, los humanos parecen estar programados para convertirse en seres cooperativos y, al final, terminan aprendiendo el concepto de ayuda mutua.

Aprender a compartir

Esto puede suceder en su hogar, cuando recibe visitas de otros niños. Sin embargo, este escenario presenta una dificultad, pues los niños no están en la misma situación. Inevitablemente, todos los juguetes pertenecen al niño de la casa, y el visitante debe tratarlos con cuidado. Los niños de dos años aún tienen una visión egocéntrica de la vida y piensan en términos de "mío". No entienden que si comparten un juguete, después se lo devolverán, y pueden surgir conflictos.

El jardín infantil

El entorno más adecuado para aprender a compartir es el jardín infantil. En él, todos los niños están en la misma situación y no hay padres que interfieran para darles la razón a unos o a otros. Para unos, asistir a una guardería es desalentador, mientras que a otros les encanta por las novedades que ofrece. Estas novedades no sólo se limitan a los juguetes, sino que incluyen los nuevos amigos y jugar en grupo. Poco a poco, asimilan los conceptos de compartir, observar y hablar, hasta que, al final, descubren la alegría de jugar en grupo. La verdad es que estos desarrollos son sólo el principio; esta experiencia de interacción social con extraños, que pronto se convierten en amigos, ayuda a sembrar las semillas de las que crecerá la capacidad de superar la separación parental.

Nuevos amigos

Cuando asistir al jardín infantil se convierte en rutina, las ansiedades iniciales se desvanecen y se transforman en una experiencia fundamental de aprendizaje social.

En una sociedad tribal, todo esto era imperceptible, porque los niños correteaban por la aldea, siempre vigilados por los adultos.

Sin embargo, nuestro estilo de vida tiende a encerrar a cada familia en casas o pisos separados. Esto es poco natural para la raza humana, pero es un aspecto de la civilización que no podemos pasar por alto.

Como adultos, aprendemos a adaptarnos a organizaciones sociales para evitar el aislamiento, pero los niños son completamente diferentes. Es muy fácil que el niño esté tan apegado a la familia que apenas sepa cómo enfrentarse al mundo exterior. Esto puede observarse el primer día de colegio. Mientras que algunos corren felizmente a la puerta, otros se resisten a separarse de sus padres. Incluso hasta los cinco años, los fantasmas de la separación los persiguen. Por ello, asistir a un jardín infantil o provocar que el niño conozca a otros que no forman parte de la familia, resulta fundamental para construir las bases de una independencia social futura.

El futuro

Al contemplar el rostro de un recién nacido entre los brazos de su madre, es importante recordar que el trato que reciba durante los dos primeros años influirá en el curso de su vida hasta la madurez. Si el niño ha tenido una infancia cariñosa, divertida y llena de estímulos, se convertirá en un adulto feliz y equilibrado. En cambio, si su infancia ha sido descuidada o incluso abandonada, será mucho más difícil.

Algunos estudios demuestran esta visión en la que los individuos no logran adaptarse a la vida adulta. Investigaciones sobre los reclusos de cárceles europeas indican que en el 50% de los casos, la figura materna cambió más de cinco veces durante la infancia. Nada menos que el 95% afirmó que jamás había gozado del amor de una figura materna. Su lugar lo ocupaba una confusa mezcla de diferentes individuos que los habían cuidado.

De este modo, la persona antisocial que acaba en la cárcel suele carecer de una infancia plena si se compara con los demás miembros de la población humana.

Algunas teorías modernas, que afirman que las madres cariñosas no son tan importantes como sugieren las creencias tradicionales, se topan con este tipo de pruebas. Sin lugar a dudas, los dos primeros años de vida son formativos y, por lo tanto, fundamentales. En un mundo ideal, esta época debería ser la más idílica. Desde alimentarse entre los brazos maternos y buscar abrigo en su cuerpo, hasta explorar un mundo repleto de juguetes y emocionarse a medida que gana más confianza mientras adquiere movilidad y autocontrol, cada bebé debería tener la oportunidad de disfrutar de un preludio de la vida que es muy satisfactorio a la par que estimulante.

Cualquier persona que contemple detenidamente el fabuloso viaje que emprende la vida del bebé humano desde que emerge en el óvulo hasta cumplir el segundo año, solo puede maravillarse ante la increíble complejidad del desarrollo humano, una de las formas de vida más extraordinarias de nuestro planeta. Y no exagero al decir que el futuro de la humanidad descansa en las manos de aquellos cuyo amor asegurará la próxima generación de bebés que crecerá en un entorno que estimule el desarrollo de sus cualidades naturales.

Índice

El número de página en *cursiva* se refiere a ilustraciones.

Agradecimientos

Agradecimientos del autor

Me gustaría expresar mi más profundo agradecimiento a mi esposa Ramona por sus incansables investigaciones que me mantuvieron al día con los últimos informes sobre este asunto tan fascinante. Una vez más, quiero darle las gracias especialmente a mis nietos por haberme enseñado cómo son los dos primeros años de vida en este emocionante planeta.

Gracias también a Jane McIntosch de Hamlyn, Fiona Robertson y Anna Southgate por su trabajo editorial tan extenso y meticuloso. También me gustaría destacar la gran contribución de Karen Sawyer y Janis Utton, cuyos diseños visuales han hecho de este libro un banquete para los ojos. Y, finalmente, mi agradecimiento a mi agente literaria, Silke Brueni, por su ayuda al elaborar este proyecto.

Edición

Editora ejecutiva: Jane McIntosh
Editora general: Fiona Robertson
Directora creativa: Karen Sawyer
Diseñadora: Janis Utton
Ilustrador: Kevin Jones Associates
Coordinadora de investigación iconográfica: Giulia Hetherington
Investigadora iconográfica: Sally Claxton
Jefe de producción: Ian Paton

Fotografías

1 Getty Images/Jade Albert Studio, Inc; 2 Getty Images/Maria Taglienti; 4 arriba Jupiter Images/Rubberball/Nicole Hill, abajo Masterfile/Kathleen Finlay; 5 arriba Masterfile/Scott Tysick, abajo Corbis/Pixland; 7 Masterfile/Michele/Salmieri; 9 Getty Images/Patricia Doyle; 10 Getty Images/Jay Reilly; 13 arriba izquierda Getty Images/Time Life/Bill Ray, arriba derecha Masterfile/ David Muir, abajo izquierda Getty Images/Lisa Spindler Photography Inc, abajo derecha Jupiter Images/Creatas/Adrian Peacock; 14 istockphoto.com/Jill Lang; 15 Masterfile/Keate; 17 Photolibrary Group /Mauritius Images/Simon Katzer; 19 SuperStock/Francisco Cruz; 21 arriba izquierda Photolibrary Group/Mauritius/Marina Raith; arriba derecha Alamy/Profimedia International sro; abajo izquierda Mother and Baby Picture Library/Ian Hooton; abajo derecha Masterfile/Kathleen Finlay; 22 Getty Images/Jim Cummins; 24 Photolibrary Group/Picture Press/B Koenig; 25 Corbis/Zefa/Larry Williams; 26 Getty Images/Zac Macauley; 28 Photolibrary Group/Mauritius/Reik Reik; 30 SuperStock/maXx images; 33 Getty Images/Juan Silva; 34 Alamy/Picture Partners; 36 Getty Images/Steve Allen; 37 Photolibrary Group/Folio/Nina Ramsby; 39 Alamy/Chris Stock Photography, inset arriba Getty Images/Dr David Phillips/Visuals Unlimited, inset abajo Science Photo Library/Steve Gschmeissner; 40 Getty Images/DK Stock/Kristin I Stith; 43 Corbis/Digital Art, inset Corbis/Tim Pannell; 44?45 Babystock.com/Penny Gentieu; 47 arriba izquierda Getty Images, arriba derecha Imagestate/First Light, abajo izquierda Jupiter Images/TongRo Image Stock, abajo derecha Jupiter Images/Constance Bannister; 49 Babystock.com/Penny Gentieu, inset Science Photo Library; 50 arriba izquierda Masterfile/Ron Fehling, arriba derecha Getty Images/Victoria Blackie, abajo izquierda Getty Images/Altrendo Images, abajo derecha Corbis/Bloomimage; 53 Getty Images/Johner Images; 55 arriba izquierda Getty Images/Benelux Press, arriba derecha Corbis/Jamie Grill, abajo izquierda Getty Images/Queerstock, abajo derecha Photolibrary Group/Index Stock Imagery/Parker Jacque Denzer; 56 Getty Images/Jamie Grill; 57 Jupiter Images/Banana Stock; 59 arriba izquierda Getty Images/Tim Flach, abajo izquierda Photolibrary Group/Ron Seymour, derecha Getty Images/Michael Orton; 60 Photolibrary Group/Jerry Driendl; 62, 63 Photolibrary Group/American Inc; 65 Corbis/Larry Williams; 66 Getty Images/Sharon Montrose; 69 arriba izquierda Science Photo Library/GustoImages, arriba derecha Science Photo Library/Ian Boddy, abajo izquierda Getty Images/Jim Pickerell, abajo derecha Getty Images/Roger Wderecha; 71 Jupiter Images/ Asia Images/Marcus Mok; 72 Tina Bolton; 74?75 Alamy/Profimedia International sro/Peter Banos; 77 Corbis/Jim Craigmyle; 78 izquierda y derecha Jupiter Images/Babystock/Penny Gentieu; 79 izquierda y derecha Babystock.com/Penny Gentieu; 80 Getty Images/Eric Schnakenberg; 82 Getty Images/Digital Vision; 85 Science Photo Library/Cristina Pedrazzini; 86 Getty Images/Barbara Peacock; 87 Getty Images/Lisa Spindler Photography Inc; 89 all Photolibrary Group/Picture Press/Sandra Seckinger; 90 Getty Images/Maria Taglienti; 93 Getty Images/Camille Tokerud; 94 Getty Images/Charly Franklin; 97 Getty Images/Rubberball, inset Science Photo Library/Eye of Science; 98 Photolibrary Group/PhotoAlto/Frederic Cirou; 99 Science Photo Library; 101 arriba izquierda Getty Images/Ed Fox, arriba derecha Masterfile/Royalty Free, abajo izquierda Alamy/Profimedia International sro, abajo derecha Alamy/Gary Roebuck; 102 Getty Images/Jade Albert Studio, Inc; 104 Corbis/Larry Williams; 106 arriba y abajo izquierda Jupiter Images/Babystock/Penny Gentieu, arriba y abajo derecha Babystock.com/Penny Gentieu; 109 Masterfile/Michele/Salmieri; 110 Getty Images/Mel Yates; 113 Masterfile/Bob Anderson; 114 arriba izquierda Getty Images/Ghislain y Marie David de Lossy, 114 arriba derecha Corbis/Jamie Grill, abajo izquierda Getty Images/Altrendo Images, abajo derecha Corbis/Larry Williams; 117 Corbis/Joyce Choo; 118 Corbis/Pixland; 120 izquierda y derecha Tatjana Alvegard Photographie; 121 izquierda y derecha Punchstock/Upper Cut/Tatjana Alvegard; 122 Getty Images/Hitoshi Nishimura; 124 Photolibrary Group/Digital Vision; 127 SuperStock/age fotostock; 129 Octopus Publishing Group/Russell Sadur; 131 Photolibrary Group/Blend Images/Ariel Skelley; 132 Alamy/Picture Partners; 134 Getty Images Altrendo Images; 137 arriba izquierda Getty Images/Iconica/Clive Shalice, arriba derecha Photolibrary Group/Picture Press/Julia Kruger, abajo izquierda Photolibrary Group/LWA/Dann Tardiff, abajo derecha Jupiter Images/Creatas; 138 Alamy/Picture Partners; 141 Getty Images/Michele/Salmieri; 142 Jupiter Images/Fancy/Heide Benser; 143 Alamy/Jupiter Images/Creatas; 145 Getty Images/Michel Tcherevkoff; 146, 149 arriba y abajo Punchstock/Digital Vision/Alistair Berg; 151 Getty Images/Lisa Spindler Photography Inc; 152 Jupiter Images/Babystock/Penny Gentieu; 154, 155 Corbis/Larry Williams; 157 arriba izquierda Corbis/Chris Coxwell, arriba derecha y abajo Corbis/Lawrence Manning; 159 Getty Images/Barbara Peacock; 160 SuperStock/Sampson Williams; 161 Photolibrary Group/Folio/Katja Halvarsson; 163 arriba izquierda Science Photo Library/Ian Boddy, arriba derecha Corbis/Nick North, abajo izquierda Shutterstock/rickt, abajo derecha Getty Images/Karan Kapoor; 164 Getty Images/Elyse Lewin; 167 arriba izquierda Photolibrary Group/Design Pics Inc, arriba derecha Alamy/The Photolibrary Wales, abajo izquierda Alamy/PhotoAlto/ Laurence Mouton, abajo derecha Getty Images/Ian Boddy; 168 Photolibrary Group/Folio/Lukas Deurloo; 170 Punchstock/Digital Vision; 172 Getty Images/Christopher Robbins; 175 Photolibrary Group/PhotoAlto/Rafal Strzechwski; 176 Photolibrary Group/Banana Stock; 177 Getty Images/Lisa Spindler Photography Inc; 179 Mother and Baby Picture Library/Paul Mitchell; 181 Getty Images/Altrendo Images; 182 Corbis/Nick North; 185 all Masterfile/Marko MacPherson; 187 arriba y abajo Alamy/Blend Images/David Buffington.